Classiques & Contemporains

Collection animée par
Jean-Paul Brighelli et Michel Dobransky

Prosper Mérimée
Tamango

Présentation, notes, questions et après-texte établis par
LAURENCE SUDRET
professeur de Lettres

MAGNARD

Sommaire

Après-texte

L'ACADÉMICIEN AUX SEMELLES DE VENT

Haut fonctionnaire, membre de l'Académie française, commandeur de la Légion d'honneur, et grand voyageur, parcourant la France en tous sens, visitant la Corse à une époque où tous ignorent l'île de Beauté, mais également Séville, Athènes ou Constantinople, Prosper Mérimée prend également le temps d'écrire quelques nouvelles qui resteront parmi les plus importantes de notre littérature : *Tamango* (1829), *Mateo Falcone* (1829), *La Vénus d'Ille* (1837), *Colomba* (1840), *Carmen* (1845).

Né à Paris en 1803, Mérimée se fait connaître très jeune en publiant, sous le nom imaginaire d'une prétendue comédienne espagnole, le *Théâtre de Clara Gazul* (1825), recueil de dix pièces et saynètes, peignant une Espagne colorée et fantaisiste qu'il n'a encore jamais vue. Avec ces pièces, le jeune auteur entre de droit dans la lignée des écrivains du siècle romantique : Stendhal, Hugo, Musset.

Le goût des couleurs vives (« Point de salut sans la couleur locale », écrit-il en 1842) et des amours tumultueuses ne le prédestine pas à se pencher sur le sort des esclaves noirs. Mais sa rencontre avec Frances Wright (1795-1852), fervente abolitionniste, auteur d'un projet déposé devant le Congrès américain pour l'abolition graduelle de l'esclavage aux États-Unis, et la nouvelle, dont fait état la presse, de la capture du *Vigilant*, navire négrier transportant trois cent onze Noirs vivant dans des conditions pitoyables, rendent

Mérimée sensible à un problème qui avait déjà préoccupé les philosophes du XVIIIᵉ siècle.

Ce même goût de l'anecdote (« Je n'aime dans l'histoire que les anecdotes. Je l'avoue à ma honte, je donnerais volontiers Thucydide pour des mémoires authentiques [...] d'un esclave de Périclès ») lui fait écrire un autre petit chef-d'œuvre : *Carmen*. Lors d'un voyage à Madrid, son interlocutrice, la comtesse de Teba, lui raconte nombre d'histoires qui lui inspirent cette nouvelle où éclateront la sensualité et la chaleur des amours hispaniques, déjà sensibles dans ses premières pièces. De même, à l'occasion d'un séjour en Corse, il rencontre une certaine Mme Colomba et sa fille ; il est si vivement impressionné par leur force morale et leur courage que la nouvelle portant ce nom est publiée peu de temps après son voyage.

Nommé en 1834 à l'inspection des monuments historiques, Prosper Mérimée se déplace pendant plus de vingt ans partout en France, et sauve inlassablement églises et monuments délabrés et oubliés : c'est dans ce rôle que le narrateur apparaît dans *La Vénus d'Ille*. On lui doit la restauration de grands monuments parisiens, tels Notre-Dame de Paris ou les Thermes de Cluny.

Il meurt à Cannes en 1870.

La postérité n'a pas toujours rendu à Prosper Mérimée l'hommage qu'il méritait. Certains ont cru bon de critiquer son style, tel l'abbé Henri Bremond qui émettait à son sujet ce jugement sévère : « Le grand goût ne souffre pas l'apothéose des secs. » Nous sommes aujourd'hui beaucoup plus sensibles à l'écriture incisive, à l'émotion retenue, à l'ironie qui masquent pudiquement la plus sincère indignation.

Prosper Mérimée
Tamango

Le capitaine Ledoux était un bon marin. Il avait commencé par être simple matelot, puis il devint aide-timonier[1]. Au combat de Trafalgar[2], il eut la main gauche fracassée par un éclat de bois ; il fut amputé, et congédié ensuite avec de bons certificats.
5 Le repos ne lui convenait guère, et, l'occasion de se rembarquer se présentant, il servit, en qualité de second lieutenant, à bord d'un corsaire[3]. L'argent qu'il retira de quelques prises lui permit d'acheter des livres et d'étudier la théorie de la navigation, dont il connaissait déjà parfaitement la pratique. Avec le temps, il
10 devint capitaine d'un lougre[4] corsaire de trois canons et de soixante hommes d'équipage, et les caboteurs[5] de Jersey conservent encore le souvenir de ses exploits. La paix le désola ; il avait amassé pendant la guerre une petite fortune, qu'il espérait augmenter aux dépens des Anglais. Force lui fut d'offrir ses services
15 à de pacifiques négociants ; et, comme il était connu pour un homme de résolution et d'expérience, on lui confia facilement un navire. Quand la traite des nègres[6] fut défendue, et que,

---

1. Marin qui tient le gouvernail.
2. Bataille navale (1805) qui opposa les flottes anglaise et franco-espagnole.
3. Navire armé par un particulier pour le commerce et autorisé par le gouvernement.
4. Petit bâtiment de pêche.
5. Marins qui ne s'éloignent pas des côtes.
6. Commerce des esclaves noirs.

BIEN LIRE

L. 7-9 : Que révèle cet achat ?
L. 12 : « La paix le désola » ; comment comprenez-vous cette phrase ?

pour s'y livrer, il fallut non seulement tromper la vigilance des douaniers français, ce qui n'était pas très difficile, mais encore,
20 et c'était le plus hasardeux, échapper aux croiseurs[1] anglais, le capitaine Ledoux devint un homme précieux pour les trafiquants de bois d'ébène[2].

Bien différent de la plupart des marins qui ont langui longtemps comme lui dans les postes subalternes[3], il n'avait point
25 cette horreur profonde des innovations, et cet esprit de routine qu'ils apportent trop souvent dans les grades supérieurs. Le capitaine Ledoux, au contraire, avait été le premier à recommander à son armateur[4] l'usage des caisses en fer, destinées à contenir et conserver l'eau. À son bord, les menottes et les
30 chaînes, dont les bâtiments négriers ont provision, étaient fabriquées d'après un système nouveau, et soigneusement vernies pour les préserver de la rouille. Mais ce qui lui fit le plus d'honneur parmi les marchands d'esclaves, ce fut la construction, qu'il dirigea lui-même, d'un brick[5] destiné à la traite, fin
35 voilier, étroit, long comme un bâtiment de guerre, et cependant capable de contenir un très grand nombre de Noirs. Il le nomma *L'Espérance*. Il voulut que les entreponts[6], étroits et

---

1. Navires de guerre rapides.
2. Nom que se donnent eux-mêmes les gens qui font la traite (note de Mérimée).
3. Peu importants.
4. Celui qui exploite commercialement un navire.
5. Voilier à deux mâts.
6. Espaces entre deux ponts.

BIEN LIRE

L. 21 : Comment comprenez-vous ici le sens de l'adjectif qualificatif « précieux » ?

L. 33 : Le mot « honneur » peut sembler déplacé dans cette phrase, pourquoi ?

L. 37 : Que pensez-vous du nom du bateau ?

rentrés, n'eussent que trois pieds quatre pouces de haut, pré-
tendant que cette dimension permettait aux esclaves de taille
40 raisonnable d'être commodément assis ; et quel besoin ont-ils
de se lever ?

« Arrivés aux colonies[1], disait Ledoux, ils ne resteront que
trop sur leurs pieds ! »

Les Noirs, le dos appuyé aux bordages du navire, et disposés
45 sur deux lignes parallèles, laissaient entre leurs pieds un espace
vide, qui, dans tous les autres négriers[2], ne sert qu'à la circulation.
Ledoux imagina de placer dans cet intervalle d'autres Nègres[3],
couchés perpendiculairement aux premiers. De la sorte, son
navire contenait une dizaine de Nègres de plus qu'un autre du
50 même tonnage. À la rigueur, on aurait pu en placer davantage ;
mais il faut avoir de l'humanité, et laisser à un Nègre au moins
cinq pieds[4] en longueur et deux[5] en largeur pour s'ébattre pendant une traversée de six semaines et plus : « Car enfin, disait
Ledoux à son armateur pour justifier cette mesure libérale, les
55 Nègres, après tout, sont des hommes comme les Blancs. »

L'Espérance partit de Nantes un vendredi, comme le remar-
quèrent depuis des gens superstitieux. Les inspecteurs qui visi-
tèrent scrupuleusement le brick ne découvrirent pas six grandes
caisses remplies de chaînes, de menottes, et de ces fers que l'on

1. Territoires occupés par des étrangers ayant
envahi l'endroit au nom de leur pays.
2. Navire destiné au trafic des esclaves.
3. Le terme n'était pas péjoratif à l'époque.
4. Environ 1 mètre 60.
5. Environ 65 centimètres.

BIEN LIRE

**L. 53-55 : En quoi, selon vous,
cette remarque de Ledoux
est-elle paradoxale ?**

60 nomme, je ne sais pourquoi, *barres de justice*. Ils ne furent point étonnés non plus de l'énorme provision d'eau que devait porter *L'Espérance*, qui, d'après ses papiers, n'allait qu'au Sénégal pour y faire le commerce de bois et d'ivoire. La traversée n'est pas longue, il est vrai, mais enfin le trop de précautions ne peut 65 nuire. Si l'on était surpris par un calme[1], que deviendrait-on sans eau ?

    L'Espérance partit donc un vendredi, bien gréée[2] et bien équipée de tout. Ledoux aurait voulu peut-être des mâts un peu plus solides ; cependant, tant qu'il commanda le bâtiment, il 70 n'eut point à s'en plaindre. Sa traversée fut heureuse et rapide jusqu'à la côte d'Afrique. Il mouilla[3] dans la rivière de Joale (je crois) dans un moment où les croiseurs anglais ne surveillaient point cette partie de la côte. Des courtiers[4] du pays vinrent aussitôt à bord. Le moment était on ne peut plus favorable ; 75 Tamango, guerrier fameux et vendeur d'hommes, venait de conduire à la côte une grande quantité d'esclaves ; et il s'en défaisait à bon marché, en homme qui se sent la force et les moyens d'approvisionner promptement[5] la place, aussitôt que les objets de son commerce y deviennent rares.

---

1. Absence totale de vent.
2. Garnie de tous les objets et appareils nécessaires à la navigation.
3. Jeta l'ancre.
4. Commerçants jouant les intermédiaires.
5. Rapidement.

BIEN LIRE

L. 57-66 : Montrez la complicité des autorités.

L. 60 : « Barres de justice » ; pourquoi le narrateur s'interroge-t-il sur cette appellation ?

L. 71-72 : Qui raconte l'histoire ?

L. 76-79 : Comment les esclaves sont-ils considérés ?

80   Le capitaine Ledoux se fit descendre sur le rivage, et fit sa visite à Tamango. Il le trouva dans une case en paille qu'on lui avait élevée à la hâte, accompagné de ses deux femmes et de quelques sous-marchands et conducteurs d'esclaves. Tamango s'était paré[1] pour recevoir le capitaine blanc. Il était vêtu d'un
85 vieil habit d'uniforme bleu, ayant encore les galons de caporal ; mais sur chaque épaule pendaient deux épaulettes d'or atta chées au même bouton, et ballottant, l'une par-devant, l'autre par-derrière. Comme il n'avait pas de chemise, et que l'habit était un peu court pour un homme de sa taille, on remarquait
90 entre les revers blancs de l'habit et son caleçon de toile de Guinée une bande considérable de peau noire qui ressemblait à une large ceinture. Un grand sabre de cavalerie était suspendu à son côté au moyen d'une corde, et il tenait à la main un beau fusil à deux coups, de fabrique anglaise. Ainsi équipé, le guer-
95 rier africain croyait surpasser en élégance le petit-maître[2] le plus accompli de Paris ou de Londres.

    Le capitaine Ledoux le considéra[3] quelque temps en silence, tandis que Tamango, se redressant à la manière d'un grena-dier[4] qui passe à la revue devant un général étranger, jouissait
100 de l'impression qu'il croyait produire sur le Blanc. Ledoux,

---

1. Avait revêtu ses parures, s'était bien habillé.
2. Jeune élégant à l'allure prétentieuse et maniérée.
3. Regarda avec attention.
4. Soldat d'élite qui lance des grenades.

BIEN LIRE

L. 84-100 : Qu'est-ce qui vous prouve que Ledoux n'est pas du tout impressionné ?

après l'avoir examiné en connaisseur, se tourna vers son second, et lui dit :

« Voilà un gaillard que je vendrais au moins mille écus, rendu sain et sans avaries à la Martinique. »

105 On s'assit, et un matelot qui savait un peu la langue wolofe[1] servit d'interprète. Les premiers compliments de politesse échangés, un mousse[2] apporta un panier de bouteilles d'eau-de-vie ; on but, et le capitaine, pour mettre Tamango en belle humeur, lui fit présent d'une jolie poire à poudre[3] en cuivre, 110 ornée du portrait de Napoléon en relief. Le présent accepté avec la reconnaissance convenable, on sortit de la case, on s'assit à l'ombre en face des bouteilles d'eau-de-vie, et Tamango donna le signal de faire venir les esclaves qu'il avait à vendre.

Ils parurent sur une longue file, le corps courbé par la fatigue 115 et la frayeur, chacun ayant le cou pris dans une fourche longue de plus de six pieds, dont les deux pointes étaient réunies vers la nuque par une barre de bois. Quand il faut se mettre en marche, un des conducteurs prend sur son épaule le manche de la fourche du premier esclave ; celui-ci se charge de la fourche 120 de l'homme qui le suit immédiatement ; le second porte la fourche du troisième esclave, et ainsi des autres. S'agit-il de faire

---

1. Ou « ouolof » ; langue la plus répandue au Sénégal.
2. Jeune apprenti au métier de marin.
3. Sorte de petite gourde où l'on met de la poudre.

BIEN LIRE

L. 101 : Qu'est-ce que l'expression « en connaisseur » apporte ?

L. 103-104 : Les deux hommes se rencontrent-ils sur un pied d'égalité ?

L. 111 : « La reconnaissance convenable » ; que veut dire cette expression ?

halte, le chef de file enfonce en terre le bout pointu du manche de sa fourche, et toute la colonne s'arrête. On juge facilement qu'il ne faut pas penser à s'échapper à la course, quand on porte
125 attaché au cou un gros bâton de six pieds[1] de longueur.

À chaque esclave mâle ou femelle qui passait devant lui, le capitaine haussait les épaules, trouvait les hommes chétifs[2], les femmes trop vieilles ou trop jeunes et se plaignait de l'abâtardissement de la race noire.

130 « Tout dégénère[3], disait-il ; autrefois, c'était bien différent. Les femmes avaient cinq pieds six pouces[4] de haut, et quatre hommes auraient tourné seuls le cabestan[5] d'une frégate[6], pour lever la maîtresse ancre. »

Cependant, tout en critiquant, il faisait un premier choix des
135 Noirs les plus robustes et les plus beaux. Ceux-là, il pouvait les payer au prix ordinaire ; mais, pour le reste, il demandait une forte diminution. Tamango, de son côté, défendait ses intérêts, vantait sa marchandise, parlait de la rareté des hommes et des périls de la traite. Il conclut en demandant un prix, je ne sais
140 lequel, pour les esclaves que le capitaine blanc voulait charger à son bord.

Aussitôt que l'interprète eut traduit en français la proposition de Tamango, Ledoux manqua tomber à la renverse de sur-

---

1. Presque deux mètres.
2. D'un aspect maladif, malingre.
3. Se dégrade.
4. Presque 1 mètre 80.
5. Axe autour duquel s'enroule une corde.
6. Navire de guerre.

BIEN LIRE

L. 126 : À quoi vous font penser les adjectifs qualificatifs « mâle » et « femelle » ?

L. 134 : Pourquoi Ledoux commence-t-il par critiquer les esclaves ?

prise et d'indignation ; puis, murmurant quelques jurements[1]
145 affreux, il se leva comme pour rompre tout marché avec un homme aussi déraisonnable. Alors Tamango le retint ; il parvint avec peine à le faire rasseoir. Une nouvelle bouteille fut débouchée, et la discussion recommença. Ce fut le tour du Noir à trouver folles et extravagantes les propositions du
150 Blanc. On cria, on disputa longtemps, on but prodigieusement d'eau-de-vie ; mais l'eau-de-vie produisait un effet bien différent sur les deux parties contractantes[2]. Plus le Français buvait, plus il réduisait ses offres, plus l'Africain buvait, plus il cédait de ses prétentions. De la sorte, à la fin du panier, on
155 tomba d'accord. De mauvaises cotonnades[3], de la poudre, des pierres à feu, trois barriques d'eau-de-vie, cinquante fusils mal raccommodés furent donnés en échange de cent soixante esclaves. Le capitaine, pour ratifier[4] le traité, frappa dans la main du Noir plus qu'à moitié ivre, et aussitôt les esclaves
160 furent remis aux matelots français, qui se hâtèrent de leur ôter leurs fourches de bois pour leur donner des carcans[5] et des menottes en fer ; ce qui montre bien la supériorité de la civilisation européenne.

Restait encore une trentaine d'esclaves : c'étaient des enfants,
165 des vieillards, des femmes infirmes. Le navire était plein.

---

1. Insultes.
2. En relation.
3. Tissus en coton.
4. Rendre officiel.
5. Colliers de fer.

BIEN LIRE

L. 150-151 : Quelle impression donne cette succession de verbes dans une même phrase ?
L. 160-163 : En quoi cette fin de paragraphe est-elle ironique ?

Tamango, qui ne savait que faire de ce rebut[1], offrit au capitaine de les lui vendre pour une bouteille d'eau-de-vie la pièce. L'offre était séduisante. Ledoux se souvint qu'à la représentation des *Vêpres siciliennes* à Nantes, il avait vu bon nombre de gens
170 gros et gras entrer dans un parterre[2] déjà plein, et parvenir cependant à s'y asseoir, en vertu de la compressibilité des corps humains. Il prit les vingt plus sveltes[3] des trente esclaves.

Alors Tamango ne demanda plus qu'un verre d'eau-de-vie pour chacun des dix restants. Ledoux réfléchit que les enfants
175 ne paient et n'occupent que demi-place dans les voitures publiques. Il prit donc trois enfants ; mais il déclara qu'il ne voulait plus se charger d'un seul Noir. Tamango, voyant qu'il lui restait encore sept esclaves sur les bras, saisit son fusil et coucha en joue une femme qui venait la première : c'était la mère
180 des trois enfants.

« Achète, dit-il au Blanc, ou je la tue ; un petit verre d'eau-de-vie ou je tire.

– Et que diable veux-tu que j'en fasse ? » répondit Ledoux.

Tamango fit feu, et l'esclave tomba morte à terre.

185 « Allons à un autre ! s'écria Tamango en visant un vieillard tout cassé : un verre d'eau-de-vie, ou bien... »

Une des femmes lui détourna le bras, et le coup partit au

---

1. Ce qui est rejeté, déchet.
2. Partie centrale d'une salle de théâtre.
3. Minces.

BIEN LIRE

L. 168-172 : Que pensez-vous de ce rapprochement entre le théâtre et le navire ?
L. 174-176 : Pourquoi Ledoux change-t-il d'avis au sujet des trois enfants ?

hasard. Elle venait de reconnaître dans le vieillard que son mari allait tuer un *guiriot* ou magicien, qui lui avait prédit qu'elle
190 serait reine.

Tamango, que l'eau-de-vie avait rendu furieux, ne se posséda plus en voyant qu'on s'opposait à ses volontés. Il frappa rudement sa femme de la crosse de son fusil ; puis se tournant vers Ledoux :
195 « Tiens, dit-il, je te donne cette femme. »

Elle était jolie. Ledoux la regarda en souriant, puis il la prit par la main :

« Je trouverai bien où la mettre », dit-il.

L'interprète était un homme humain. Il donna une tabatière
200 de carton à Tamango, et lui demanda les six esclaves restants. Il les délivra de leurs fourches, et leur permit de s'en aller où bon leur semblerait. Aussitôt ils se sauvèrent qui deçà, qui delà[1], fort embarrassés de retourner dans leur pays à deux cents lieues de la côte.

205 Cependant le capitaine dit adieu à Tamango et s'occupa de faire au plus vite embarquer sa cargaison. Il n'était pas prudent de rester longtemps en rivière ; les croiseurs pourraient reparaître, et il voulait appareiller[2] le lendemain. Pour Tamango, il se coucha sur l'herbe, à l'ombre, et dormit pour cuver son eau-de-vie.

---

1. Les uns d'un côté, les autres de l'autre.
2. Se préparer à partir.

BIEN LIRE

L. 191-192 : Trouvez un équivalent au verbe « ne se posséda plus ».
L. 199 : « Homme humain » ; comment comprenez-vous ce groupe nominal ?

210   Quand il se réveilla, le vaisseau était déjà sous voiles[1] et des-
cendait la rivière. Tamango, la tête encore embarrassée de la
débauche[2] de la veille, demanda sa femme Ayché. On lui répondit qu'elle avait eu le malheur de lui déplaire, et qu'il l'avait donnée en présent au capitaine blanc, lequel l'avait emmenée à son
215 bord. À cette nouvelle, Tamango stupéfait se frappa la tête, puis
il prit son fusil, et comme la rivière faisait plusieurs détours
avant de se décharger dans la mer, il courut, par le chemin le
plus direct, à une petite anse[3], éloignée de l'embouchure d'une
demi-lieue. Là, il espérait trouver un canot avec lequel il pour-
220 rait joindre le brick, dont les sinuosités[4] de la rivière devaient
retarder la marche. Il ne se trompait pas : en effet, il eut le temps
de se jeter dans un canot et de joindre le négrier.

     Ledoux fut surpris de le voir, mais encore plus de l'entendre
redemander sa femme.

225   « Bien donné ne se reprend plus », répondit-il.

     Et il lui tourna le dos.

     Le Noir insista, offrant de rendre une partie des objets qu'il
avait reçus en échange des esclaves. Le capitaine se mit à rire,
dit qu'Ayché était une très bonne femme, et qu'il voulait la gar-
230 der. Alors le pauvre Tamango versa un torrent de larmes, et
poussa des cris de douleur aussi aigus que ceux d'un malheureux qui subit une opération chirurgicale. Tantôt il se roulait

---

1. Voiles déployées.
2. Excès.
3. Petite baie.
4. Suite de courbes, méandres.

sur le pont en appelant sa chère Ayché ; tantôt il se frappait la
tête contre les planches, comme pour se tuer. Toujours impas-
235 sible[1], le capitaine, en lui montrant le rivage, lui faisait signe
qu'il était temps pour lui de s'en aller ; mais Tamango persistait.
Il offrit jusqu'à ses épaulettes d'or, son fusil et son sabre. Tout
fut inutile.

Pendant ce débat, le lieutenant de *L'Espérance* dit au capi-
240 taine :

« Il nous est mort cette nuit trois esclaves, nous avons de la
place. Pourquoi ne prendrions-nous pas ce vigoureux[2] coquin,
qui vaut mieux à lui seul que les trois morts ? »

Ledoux fit réflexion que Tamango se vendrait bien mille
245 écus, que ce voyage, qui s'annonçait comme très profitable
pour lui, serait probablement son dernier ; qu'enfin sa fortune
étant faite, et lui renonçant au commerce d'esclaves, peu lui
importait de laisser à la côte de Guinée une bonne ou une mauvaise réputation. D'ailleurs, le rivage était désert, et le guerrier
250 africain entièrement à sa merci. Il ne s'agissait plus que de lui
enlever ses armes ; car il eût été dangereux de mettre la main sur
lui pendant qu'il les avait encore en sa possession. Ledoux lui
demanda donc son fusil, comme pour l'examiner et s'assurer s'il
valait bien autant que la belle Ayché. En faisant jouer les res-

---

1. Ne montrant aucune émotion.
2. Fort.

BIEN LIRE

L. 242 : « Coquin » ; que veut dire ce
mot ? Pourquoi est-il employé ici ?
L. 247-249 : Pensez-vous que Ledoux
soit sincère ?

255 sorts, il eut soin de laisser tomber la poudre de l'amorce[1]. Le lieutenant de son côté maniait le sabre ; et, Tamango se trouvant ainsi désarmé, deux vigoureux matelots se jetèrent sur lui, le renversèrent sur le dos, et se mirent en devoir de le garrotter[2]. La résistance du Noir fut héroïque. Revenu de sa première sur-

260 prise, et malgré le désavantage de sa position, il lutta longtemps contre les deux matelots. Grâce à sa force prodigieuse, il parvint à se relever. D'un coup de poing, il terrassa[3] l'homme qui le tenait au collet ; il laissa un morceau de son habit entre les mains de l'autre matelot, et s'élança comme un furieux sur le

265 lieutenant pour lui arracher son sabre. Celui-ci l'en frappa à la tête, et lui fit une blessure large, mais peu profonde. Tamango tomba une seconde fois. Aussitôt on lui lia fortement les pieds et les mains. Tandis qu'il se défendait, il poussait des cris de rage et s'agitait comme un sanglier pris dans les toiles, mais,

270 lorsqu'il vit que toute résistance était inutile, il ferma les yeux et ne fit plus aucun mouvement. Sa respiration forte et précipitée prouvait seule qu'il était encore vivant.

« Parbleu ! s'écria le capitaine Ledoux, les Noirs qu'il a vendus vont rire de bon cœur en le voyant esclave à son tour. C'est

275 pour le coup qu'ils verront bien qu'il y a une Providence[4]. »

---

1. Petite bille de métal servant à déclencher l'explosion d'une charge de poudre.
2. Lier solidement.
3. Jeta à terre.
4. Intervention divine.

BIEN LIRE

L. 259-271 : Quels sont les termes ou expressions qui insistent sur la force peu commune de Tamango ? Qu'est-ce qui le pousse, selon vous, à se battre ainsi ?
L. 274-275 : Est-ce vraiment la preuve qu'il y a une Providence ?

Cependant le pauvre Tamango perdait tout son sang. Le charitable interprète qui, la veille, avait sauvé la vie à six esclaves, s'approcha de lui, banda sa blessure et lui adressa quelques paroles de consolation. Ce qu'il put lui dire, je l'ignore. Le Noir
280 restait immobile, ainsi qu'un cadavre. Il fallut que deux matelots le portassent comme un paquet dans l'entrepont, à la place qui lui était destinée. Pendant deux jours, il ne voulut ni boire ni manger ; à peine lui vit-on ouvrir les yeux. Ses compagnons de captivité, autrefois ses prisonniers, le virent paraître au
285 milieu d'eux avec un étonnement stupide[1]. Telle était la crainte qu'il leur inspirait encore, que pas un seul n'osa insulter à la misère de celui qui avait causé la leur.

Favorisé par un bon vent de terre, le vaisseau s'éloignait rapidement de la côte d'Afrique. Déjà sans inquiétude au sujet de la
290 croisière anglaise, le capitaine ne pensait plus qu'aux énormes bénéfices qui l'attendaient dans les colonies vers lesquelles il se dirigeait. Son bois d'ébène se maintenait sans avaries. Point de maladies contagieuses. Douze Nègres seulement, et des plus faibles, étaient morts de chaleur : c'était bagatelle[2]. Afin que sa
295 cargaison humaine souffrît le moins possible des fatigues de la traversée, il avait l'attention de faire monter tous les jours ses esclaves sur le pont. Tour à tour un tiers de ces malheureux avait une

---

1. Marqué par la stupeur.
2. Le terme désigne ici une quantité peu importante, négligeable.

BIEN LIRE

L. 292 : « Bois d'ébène » ; à quoi vous fait penser cette expression ?

L. 293 : Que pensez-vous de l'adverbe « seulement » utilisé ici ? Est-il employé dans son sens véritable ? Quelle opinion représente-t-il ?

heure pour faire sa provision d'air de toute la journée. Une partie
de l'équipage les surveillait armée jusqu'aux dents, de peur de
300 révolte; d'ailleurs, on avait soin de ne jamais ôter entièrement
leurs fers. Quelquefois un matelot qui savait jouer du violon les
régalait d'un concert. Il était alors curieux de voir toutes ces
figures noires se tourner vers le musicien, perdre par degrés leur
expression de désespoir stupide, rire d'un gros rire et battre des
305 mains quand leurs chaînes le leur permettaient. L'exercice est
nécessaire à la santé; aussi l'une des salutaires[1] pratiques du capitaine Ledoux, c'était de faire souvent danser ses esclaves, comme
on fait piaffer[2] des chevaux embarqués pour une longue traversée.

« Allons, mes enfants, dansez, amusez-vous », disait le capi-
310 taine d'une voix de tonnerre, en faisant claquer un énorme
fouet de poste.

Et aussitôt les pauvres Noirs sautaient et dansaient.

Quelque temps la blessure de Tamango le retint sous les
écoutilles[3]. Il parut enfin sur le pont; et d'abord relevant la tête
315 avec fierté au milieu de la foule craintive des esclaves, il jeta un
coup d'œil triste, mais calme, sur l'immense étendue d'eau qui
environnait le navire, puis il se coucha, ou plutôt se laissa tomber sur les planches du tillac[4], sans prendre même le soin
d'arranger ses fers de manière qu'ils lui fussent moins incom-

---

1. Saines.
2. Action pour un cheval de frapper la terre avec les pieds de devant sans avancer.
3. Ouvertures faites dans le pont d'un navire pour avoir accès aux étages inférieurs.
4. Pont supérieur d'un bateau.

320 modes. Ledoux, assis au gaillard d'arrière[1], fumait tranquillement sa pipe. Près de lui, Ayché, sans fers, vêtue d'une robe élé-
gante de cotonnade bleue, les pieds chaussés de jolies pan-
toufles de maroquin[2], portant à la main un plateau chargé de
liqueurs, se tenait prête à lui servir à boire. Il était évident
325 qu'elle remplissait de hautes fonctions auprès du capitaine. Un
Noir, qui détestait Tamango, lui fit signe de regarder de ce côté.
Tamango tourna la tête, l'aperçut, poussa un cri ; et, se levant
avec impétuosité[3], courut vers le gaillard d'arrière avant que les
matelots de garde eussent pu s'opposer à une infraction aussi
330 énorme de toute discipline navale.

« Ayché ! cria-t-il d'une voix foudroyante, et Ayché poussa un
cri de terreur ; crois-tu que dans le pays des Blancs il n'y ait
point de MAMA-JUMBO ? »

Déjà des matelots accouraient le bâton levé ; mais Tamango,
335 les bras croisés, et comme insensible, retournait tranquillement
à sa place, tandis qu'Ayché, fondant en larmes, semblait pétri-
fiée[4] par ces mystérieuses paroles.

L'interprète expliqua ce qu'était ce terrible Mama-Jumbo,
dont le nom seul produisait tant d'horreur.

---

1. Partie du pont située à l'arrière du
navire.
2. Peau de chèvre ou de mouton teinte.
3. Fougue.
4. Immobile, comme transformée en
pierre.

BIEN LIRE

**L. 326 : « Qui détestait
Tamango » ; pourquoi cette
expression est-elle nécessaire
pour comprendre le geste
du Noir ?**

**L. 332 : Pourquoi Ayché pousse-
t-elle ce « cri de terreur » ?**

340 « C'est le Croquemitaine[1] des Nègres, dit-il. Quand un mari a peur que sa femme ne fasse ce que font bien des femmes en France comme en Afrique, il la menace du Mama-Jumbo. Moi, qui vous parle, j'ai vu le Mama-Jumbo, et j'ai compris la ruse ; mais les Noirs..., comme c'est simple[2], cela ne comprend rien.

345 — Figurez-vous qu'un soir, pendant que les femmes s'amusaient à danser, à faire un *folgar*, comme ils disent dans leur jargon, voilà que, d'un petit bois bien touffu et bien sombre, on entend une musique étrange, sans que l'on vît personne pour la faire ; tous les musiciens étaient cachés dans le bois. Il y avait des flûtes de

350 roseau, des tambourins de bois, des *balafos*, et des guitares faites avec des moitiés de calebasses[3]. Tout cela jouait un air à porter le diable en terre. Les femmes n'ont pas plus tôt entendu cet air-là, qu'elles se mettent à trembler, elles veulent se sauver, mais les maris les retiennent : elles savaient bien ce qui leur pendait à

355 l'oreille. Tout à coup sort du bois une grande figure blanche, haute comme notre mât de perroquet[4], avec une tête grosse comme un boisseau[5], des yeux larges comme des écubiers[6], et une gueule comme celle du diable avec du feu dedans. Cela marchait lentement, lentement ; et cela n'alla pas plus loin qu'à demi-

---

1. Personnage imaginaire évoqué pour effrayer les enfants.
2. Naïf.
3. Fruits du calebassier qui, une fois vidés et séchés, peuvent servir de récipients.
4. Mât gréé sur une plate-forme.
5. Récipient cylindrique.
6. Ouvertures de l'avant d'un navire par lesquelles on passe les câbles.

BIEN LIRE

L. 340-344 : Remarquez ici le caractère méprisant des propos de l'interprète.

L. 351-352 : Comment comprenez-vous l'expression « à porter le diable en terre » ?

360 encablure du bois. Les femmes criaient : "Voilà Mama-Jumbo !"
Elles braillaient[1] comme des vendeuses d'huîtres. Alors les maris
leur disaient :

"Allons, coquines, dites-nous si vous avez été sages ; si vous
mentez, Mama-Jumbo est là pour vous manger toutes crues." Il
365 y en avait qui étaient assez simples pour avouer, et alors les
maris les battaient comme plâtre.

– Et qu'était-ce donc que cette figure blanche, ce Mama-
Jumbo ? demanda le capitaine.

– Eh bien, c'était un farceur affublé d'un grand drap blanc,
370 portant, au lieu de tête, une citrouille creusée et garnie d'une
chandelle allumée au bout d'un grand bâton. Cela n'est pas
plus malin, et il ne faut pas de grands frais d'esprit pour attra-
per les Noirs. Avec tout cela, c'est une bonne invention que le
Mama-Jumbo, et je voudrais que ma femme y crût.

375 – Pour la mienne, dit Ledoux, si elle n'a pas peur de Mama-
Jumbo, elle a peur de Martin-Bâton ; et elle sait de reste comment je l'arrangerais si elle me jouait quelque tour. Nous ne
sommes pas endurants[2] dans la famille des Ledoux, et quoique
je n'aie qu'un poignet, il manie encore assez bien une garcette[3].
380 Quant à votre drôle, là-bas, qui parle de Mama-Jumbo, dites-
lui qu'il se tienne bien et qu'il ne fasse pas peur à la petite mère

---

1. Criaient très fort.
2. Patients.
3. Petite tresse de cordages utili-
sée pour donner les punitions.

BIEN LIRE

**L. 366 : « Les battaient comme plâtre » ;
comment expliqueriez-vous cette
expression ?**

que voici, ou je lui ferai si bien ratisser[1] l'échine, que son cuir,
de noir, deviendra rouge comme un rosbif cru. »

À ces mots, le capitaine descendit dans sa chambre, fit venir
385 Ayché et tâcha de la consoler ; mais ni les caresses, ni les coups
même, car on perd patience à la fin, ne purent rendre traitable
la belle Négresse ; des flots de larmes coulaient de ses yeux. Le
capitaine remonta sur le pont, de mauvaise humeur, et querella
l'officier de quart sur la manœuvre qu'il commandait dans le
390 moment.

La nuit, lorsque presque tout l'équipage dormait d'un pro-
fond sommeil, les hommes de garde entendirent d'abord un
chant grave, solennel[2], lugubre[3], qui partait de l'entrepont,
puis un cri de femme horriblement aigu. Aussitôt après, la
395 grosse voix de Ledoux jurant et menaçant, et le bruit de son terrible fouet, retentirent dans tout le bâtiment. Un instant après,
tout rentra dans le silence. Le lendemain, Tamango parut sur le
pont la figure meurtrie[4], mais l'air aussi fier, aussi résolu qu'au-
paravant.

400 À peine Ayché l'eut-elle aperçu, que quittant le gaillard
d'arrière où elle était assise à côté du capitaine, elle courut avec
rapidité vers Tamango, s'agenouilla devant lui, et lui dit avec un
accent de désespoir concentré :

---

1. Racler avec un petit râteau.
2. Avec la gravité due aux grandes occasions.
3. Signe de deuil.
4. Blessée.

BIEN LIRE

L. 375-383 : Quel est le ton utilisé par Ledoux ?
L. 386 : Qui ce « on » représente-t-il ?

« Pardonne-moi, Tamango, pardonne-moi ! »

405   Tamango la regarda fixement pendant une minute ; puis, remarquant que l'interprète était éloigné :

« Une lime ! » dit-il.

Et il se coucha sur le tillac en tournant le dos à Ayché. Le capitaine la réprimanda vertement, lui donna même quelques
410   soufflets[1], et lui défendit de parler à son ex-mari ; mais il était loin de soupçonner le sens des courtes paroles qu'ils avaient échangées, et il ne fit aucune question à ce sujet.

Cependant Tamango, renfermé avec les autres esclaves, les exhortait[2] jour et nuit à tenter un effort généreux pour recou-
415   vrer leur liberté. Il leur parlait du petit nombre de Blancs, et leur faisait remarquer la négligence toujours croissante de leurs gardiens ; puis, sans s'expliquer nettement, il disait qu'il saurait les ramener dans leur pays, vantait son savoir dans les sciences occultes[3], dont les Noirs sont fort entichés[4], et menaçait de la
420   vengeance du diable ceux qui se refuseraient à l'aider dans son entreprise. Dans ses harangues[5], il ne se servait que du dialecte des Peuls[6], qu'entendaient la plupart des esclaves, mais que l'interprète ne comprenait pas. La réputation de l'orateur, l'habitude qu'avaient les esclaves de le craindre et de lui obéir, vinrent

---

1. Gifles.
2. Encourageait.
3. Sciences non reconnues par la religion et la science. Magie.
4. Passionnés.
5. Discours solennels prononcés devant une assemblée.
6. Ou « Peuhls », peuple d'Afrique occidentale.

BIEN LIRE

L. 412 : Pourquoi Ledoux ne s'inquiète-t-il pas de ce qu'ils se sont dit ?
L. 417 : Pourquoi Tamango ne s'explique-t-il pas nettement ?

425 merveilleusement au secours de son éloquence[1], et les Noirs le pressèrent de fixer un jour pour leur délivrance, bien avant que lui-même se crût en état de l'effectuer. Il répondit vaguement aux conjurés[2] que le temps n'était pas venu, et que le diable, qui lui apparaissait en songe, ne l'avait pas encore averti, mais qu'ils
430 eussent à se tenir prêts au premier signal. Cependant, il ne négligeait aucune occasion de faire des expériences sur la vigilance de ses gardiens. Une fois, un matelot, laissant son fusil appuyé contre les plats-bords, s'amusait à regarder une troupe de poissons volants qui suivaient le vaisseau ; Tamango prit le
435 fusil et se mit à le manier, imitant avec des gestes grotesques les mouvements qu'il avait vu faire à des matelots qui faisaient l'exercice. On lui retira le fusil au bout d'un instant ; mais il avait appris qu'il pourrait toucher une arme sans éveiller immédiatement le soupçon ; et, quand le temps viendrait de s'en
440 servir, bien hardi[3] celui qui voudrait la lui arracher des mains.

Un jour, Ayché lui jeta un biscuit en lui faisant un signe que lui seul comprit. Le biscuit contenait une petite lime : c'était de cet instrument que dépendait la réussite du complot. D'abord Tamango se garda bien de montrer la lime à ses compagnons ;
445 mais, lorsque la nuit fut venue, il se mit à murmurer des paroles inintelligibles[4] qu'il accompagnait de gestes bizarres. Par

---

1. Facilité à faire de beaux discours.
2. Membres d'une conspiration.
3. Courageux.
4. Dont on ne comprend pas le sens.

BIEN LIRE

L. 434-437 : Pourquoi Tamango fait-il des gestes qui le ridiculisent ainsi ?

degrés, il s'anima jusqu'à pousser des cris. À entendre les into-
nations variées de sa voix, on eût dit qu'il était engagé dans une
conversation animée avec une personne invisible. Tous les
450 esclaves tremblaient, ne doutant pas que le diable ne fût en ce
moment même au milieu d'eux. Tamango mit fin à cette scène
en poussant un cri de joie.

« Camarades, s'écria-t-il, l'esprit que j'ai conjuré[1] vient enfin
de m'accorder ce qu'il m'avait promis, et je tiens dans mes
455 mains l'instrument de notre délivrance. Maintenant il ne vous
faut plus qu'un peu de courage pour vous faire libres. »

Il fit toucher la lime à ses voisins, et la fourbe[2], toute
grossière[3] qu'elle était, trouva créance[4] auprès d'hommes
encore plus grossiers[5].

460 Après une longue attente vint le grand jour de vengeance et
de liberté. Les conjurés, liés entre eux par un serment solennel,
avaient arrêté[6] leur plan après une mûre délibération. Les plus
déterminés, ayant Tamango à leur tête, lorsqu'ils monteraient à
leur tour sur le pont, devaient s'emparer des armes de leurs gar-
465 diens ; quelques autres iraient à la chambre du capitaine pour y
prendre les fusils qui s'y trouvaient. Ceux qui seraient parvenus
à limer leurs fers devaient commencer l'attaque ; mais, malgré

---

1. Prié avec instance.
2. Ruse.
3. De mauvaise qualité.
4. Ne fut pas mise en doute.
5. Sans finesse.
6. Décidé.

BIEN LIRE

L. 443-456 : Pourquoi Tamango ne montre-t-il pas immédiatement la lime à ses compagnons ? Qu'essaie-t-il de leur faire croire ? Pensez-vous qu'il ait raison ?

le travail opiniâtre de plusieurs nuits, le plus grand nombre des
esclaves était encore incapable de prendre une part énergique à
470 l'action. Aussi trois Noirs robustes[1] avaient la charge de tuer
l'homme qui portait dans sa poche la clef des fers, et d'aller
aussitôt délivrer leurs compagnons enchaînés.

Ce jour-là, le capitaine Ledoux était d'une humeur char-
mante ; contre sa coutume, il fit grâce à un mousse qui avait
475 mérité le fouet. Il complimenta l'officier de quart sur sa
manœuvre, déclara à l'équipage qu'il était content, et lui
annonça qu'à la Martinique, où ils arriveraient dans peu,
chaque homme recevrait une gratification[2]. Tous les matelots,
entretenant de si agréables idées, faisaient déjà dans leur tête
480 l'emploi de cette gratification. Ils pensaient à l'eau-de-vie et aux
femmes de couleur de la Martinique, lorsqu'on fit monter sur
le pont Tamango et les autres conjurés.

Ils avaient eu soin de limer leurs fers de manière qu'ils ne
parussent pas être coupés, et que le moindre effort suffît cepen-
485 dant pour les rompre. D'ailleurs, ils les faisaient si bien réson-
ner, qu'à les entendre on eût dit qu'ils en portaient un double
poids. Après avoir humé[3] l'air quelque temps, ils se prirent tous
par la main et se mirent à danser pendant que Tamango enton-

---

1. Forts.
2. Récompense.
3. Reniflé.

BIEN LIRE

L. 460-472 : Qui est à l'origine de ce plan ? A-t-il laissé quelque chose au hasard ?

L. 473-480 : Relevez tous les termes ou expressions qui prouvent que Ledoux est vraiment de bonne humeur.

nait le chant guerrier de sa famille, qu'il chantait autrefois avant
490 d'aller au combat. Quand la danse eut duré quelque temps,
Tamango, comme épuisé de fatigue, se coucha tout de son long
au pied d'un matelot qui s'appuyait nonchalamment[1] contre
les plats-bords[2] du navire ; tous les conjurés en firent autant. De
la sorte, chaque matelot était entouré de plusieurs Noirs.

495   Tout à coup Tamango, qui venait doucement de rompre ses
fers, pousse un grand cri, qui devait servir de signal, tire violemment par les jambes le matelot qui se trouvait près de lui, le
culbute, et, lui mettant le pied sur le ventre, lui arrache son fusil,
et s'en sert pour tuer l'officier de quart[3]. En même temps,
500 chaque matelot de garde est assailli, désarmé et aussitôt égorgé.
De toutes parts, un cri de guerre s'élève. Le contremaître, qui
avait la clef des fers, succombe un des premiers. Alors une foule
de Noirs inondent le tillac. Ceux qui ne peuvent trouver
d'armes saisissent les barres du cabestan ou les rames de la cha-
505 loupe[4]. Dès ce moment, l'équipage européen fut perdu.
Cependant quelques matelots firent tête sur le gaillard d'arrière ;
mais ils manquaient d'armes et de résolution. Ledoux était
encore vivant et n'avait rien perdu de son courage. S'apercevant

---

1. Mollement.
2. Remparts qui font le tour du navire.
3. Officier de surveillance.
4. Petit bâtiment à rames et à voiles.

BIEN LIRE

L. 493-494 : En quoi cette dernière phrase est-elle importante pour la suite ?

L. 500 : Quelle impression donne cette succession de participes passés ?

L. 503 : « Inondent » ; expliquez l'utilisation de ce verbe ici.

que Tamango était l'âme de la conjuration, il espéra que, s'il
510 pouvait le tuer, il aurait bon marché de ses complices. Il s'élança
donc à sa rencontre, le sabre à la main, en l'appelant à grands
cris. Aussitôt Tamango se précipita sur lui. Il tenait un fusil par
le bout du canon et s'en servait comme d'une massue. Les deux
chefs se joignirent sur un des passavants, ce passage étroit qui
515 communique du gaillard d'avant à l'arrière. Tamango frappa le
premier. Par un léger mouvement de corps, le Blanc évita le
coup. La crosse, tombant avec force sur les planches, se brisa, et
le contrecoup fut si violent, que le fusil échappa des mains de
Tamango. Il était sans défense, et Ledoux, avec un sourire de joie
520 diabolique, levait le bras et allait le percer ; mais Tamango était
aussi agile que les panthères de son pays. Il s'élança dans les bras
de son adversaire, et lui saisit la main dont il tenait son sabre.
L'un s'efforce de retenir son arme, l'autre de l'arracher. Dans
cette lutte furieuse, ils tombent tous les deux ; mais l'Africain
525 avait le dessous. Alors, sans se décourager, Tamango, étreignant
son adversaire de toute sa force, le mordit à la gorge avec tant de
violence, que le sang jaillit comme sous la dent d'un lion. Le
sabre échappa de la main défaillante du capitaine. Tamango s'en
saisit ; puis, se relevant, la bouche sanglante, et poussant un cri

530 de triomphe, il perça de coups redoublés son ennemi déjà demi-mort.

La victoire n'était plus douteuse. Le peu de matelots qui restaient essayèrent d'implorer la pitié des révoltés ; mais tous, jusqu'à l'interprète qui ne leur avait jamais fait de mal, furent impi-
535 toyablement massacrés. Le lieutenant mourut avec gloire. Il s'était retiré à l'arrière, auprès d'un de ces petits canons qui tournent sur un pivot, et que l'on charge de mitraille. De la main gauche, il dirigea la pièce, et, de la droite, armé d'un sabre, il se défendit si bien qu'il attira autour de lui une foule de Noirs.
540 Alors, pressant la détente du canon, il fit au milieu de cette masse serrée une large rue pavée de morts et de mourants. Un instant après il fut mis en pièces.

Lorsque le cadavre du dernier Blanc, déchiqueté et coupé par morceaux, eut été jeté à la mer, les Noirs, rassasiés[1] de ven-
545 geance, levèrent les yeux vers les voiles du navire, qui, toujours enflées par un vent frais, semblaient obéir encore à leurs oppresseurs et mener les vainqueurs, malgré leur triomphe, vers la terre de l'esclavage.

« Rien n'est donc fait, pensèrent-ils avec tristesse ; et ce grand
550 fétiche[2] des Blancs voudra-t-il nous ramener dans notre pays, nous qui avons versé le sang de ses maîtres ? »

---

1. Comblés.
2. À comprendre ici dans le sens de dieu.

BIEN LIRE

L. 534-535 : Comment comprenez-vous le geste des esclaves envers l'interprète ?
L. 541 : Que vous évoque la métaphore « une large rue pavée de morts et de mourants » ?

Quelques-uns dirent que Tamango saurait le faire obéir. Aussitôt on appelle Tamango à grands cris.

Il ne se pressait pas de se montrer. On le trouva dans la
555 chambre de poupe, debout, une main appuyée sur le sabre sanglant du capitaine ; l'autre, il la tendait d'un air distrait à sa femme Ayché, qui la baisait à genoux devant lui. La joie d'avoir vaincu ne diminuait pas une sombre inquiétude qui se trahissait dans toute sa contenance. Moins grossier que les autres, il
560 sentait mieux la difficulté de sa position.

Il parut enfin sur le tillac, affectant[1] un calme qu'il n'éprouvait pas. Pressé par cent voix confuses de diriger la course du vaisseau, il s'approcha du gouvernail à pas lents, comme pour retarder un peu le moment qui allait, pour lui-même et pour les
565 autres, décider de l'étendue de son pouvoir.

Dans tout le vaisseau, il n'y avait pas un Noir, si stupide qu'il fût, qui n'eût remarqué l'influence qu'une certaine roue et la boîte placée en face exerçaient sur les mouvements du navire ; mais, dans ce mécanisme, il y avait toujours pour eux
570 un grand mystère. Tamango examina la boussole pendant longtemps en remuant les lèvres, comme s'il lisait les caractères qu'il y voyait tracés ; puis il portait la main à son front, et prenait l'attitude pensive d'un homme qui fait un calcul de tête.

---

1. Prenant l'apparence, donnant l'illusion.

BIEN LIRE

L. 554 : Comment interprétez-vous cette attitude de Tamango ?
L. 559-560 : Quelle est cette difficulté ?
L. 567-569 : De quoi parle-t-il ?

Tous les Noirs l'entouraient, la bouche béante[1], les yeux déme-
575 surément ouverts, suivant avec anxiété le moindre de ses
gestes. Enfin, avec ce mélange de crainte et de confiance que
l'ignorance donne, il imprima un violent mouvement à la roue
du gouvernail.

Comme un généreux coursier[2] qui se cabre sous l'éperon du
580 cavalier imprudent, le beau brick *L'Espérance* bondit sur la
vague à cette manœuvre inouïe[3]. On eût dit qu'indigné il voulait s'engloutir avec son pilote ignorant. Le rapport nécessaire
entre la direction des voiles et celle du gouvernail étant brusquement rompu, le vaisseau s'inclina avec tant de violence
585 qu'on eût dit qu'il allait s'abîmer[4]. Ses longues vergues[5] plon-
gèrent dans la mer. Plusieurs hommes furent renversés ;
quelques-uns tombèrent par-dessus le bord. Bientôt le vaisseau
se releva fièrement contre la lame, comme pour lutter encore
une fois avec la destruction. Le vent redoubla d'efforts, et tout
590 d'un coup, avec un bruit horrible, tombèrent les deux mâts,
cassés à quelques pieds du pont, couvrant le tillac de débris et
comme d'un lourd filet de cordages.

Les Nègres épouvantés fuyaient sous les écoutilles en poussant des cris de terreur ; mais, comme le vent ne trouvait plus
595 de prise, le vaisseau se releva et se laissa doucement ballotter[6]

---

1. Grande ouverte.
2. Cheval de bataille.
3. Incroyable.
4. Sombrer.
5. Longues pièces de bois portant les voiles.
6. Balancer.

BIEN LIRE

L. 579-592 : Le vaisseau ne semble-t-il pas animé d'une vie intérieure ?

par les flots. Alors les plus hardis des Noirs remontèrent sur le
tillac et le débarrassèrent des débris qui l'obstruaient. Tamango
restait immobile, le coude appuyé sur l'habitacle et se cachant
le visage sur son bras replié. Ayché était auprès de lui, mais
600 n'osait lui adresser la parole. Peu à peu les Noirs s'approchè-
rent ; un murmure s'éleva, qui bientôt se changea en un orage
de reproches et d'injures.

« Perfide[1] ! imposteur ! s'écriaient-ils, c'est toi qui as causé
tous nos maux[2], c'est toi qui nous as vendus aux Blancs, c'est
605 toi qui nous as contraints de nous révolter contre eux. Tu nous
avais vanté ton savoir, tu nous avais promis de nous ramener
dans notre pays. Nous t'avons cru, insensés que nous étions ! et
voilà que nous avons manqué de périr tous parce que tu as
offensé le fétiche des Blancs. »

610 Tamango releva fièrement la tête, et les Noirs qui l'entouraient reculèrent intimidés. Il ramassa deux fusils, fit signe à sa
femme de le suivre, traversa la foule, qui s'ouvrit devant lui, et
se dirigea vers l'avant du vaisseau. Là, il se fit comme un rem-
part avec des tonneaux vides et des planches ; puis il s'assit au
615 milieu de cette espèce de retranchement, d'où sortaient mena-
çantes les baïonnettes de ses deux fusils. On le laissa tranquille.
Parmi les révoltés, les uns pleuraient ; d'autres, levant les mains

---

1. Traître.
2. Malheurs.

BIEN LIRE

L. 600-602 : Remarquez ici que les Noirs sont de
plus en plus hostiles envers leur chef.
L. 603-609 : C'est la première fois depuis le début
du voyage que les Noirs font ces reproches à
Tamango. Pourquoi se décident-ils maintenant ?

au ciel, invoquaient leurs fétiches et ceux des Blancs ; ceux-ci, à genoux devant la boussole, dont ils admiraient le mouvement
620 continuel, la suppliaient de les ramener dans leur pays ; ceux-là se couchaient sur le tillac dans un morne[1] abattement. Au milieu de ces désespérés, qu'on se représente des femmes et des enfants hurlant d'effroi, et une vingtaine de blessés implorant des secours que personne ne pensait à leur donner.

625 Tout à coup un Nègre paraît sur le tillac : son visage est radieux[2]. Il annonce qu'il vient de découvrir l'endroit où les Blancs gardent leur eau-de-vie ; sa joie et sa contenance prouvent assez qu'il vient d'en faire l'essai. Cette nouvelle suspend un instant les cris de ces malheureux. Ils courent à la cambuse[3]
630 et se gorgent de liqueur. Une heure après, on les eût vus sauter et rire sur le pont, se livrant à toutes les extravagances de l'ivresse la plus brutale. Leurs danses et leurs chants étaient accompagnés des gémissements et des sanglots des blessés. Ainsi se passa le reste du jour et toute la nuit.

635 Le matin, au réveil, nouveau désespoir. Pendant la nuit, un grand nombre de blessés étaient morts. Le vaisseau flottait entouré de cadavres. La mer était grosse[4] et le ciel brumeux. On tint conseil. Quelques apprentis dans l'art magique, qui n'avaient point osé parler de leur savoir-faire devant Tamango, offrirent

---

1. Triste.
2. Joyeux.
3. Endroit où l'on conserve la nourriture et les boissons.
4. Houleuse, dont les vagues s'enflent.

BIEN LIRE

L. 632-633 : Relevez le paradoxe de cette scène. En quoi est-il horrible ?

640 tour à tour leurs services. On essaya plusieurs conjurations[1] puissantes. À chaque tentative inutile, le découragement augmentait. Enfin on reparla de Tamango, qui n'était pas encore sorti de son retranchement. Après tout, c'était le plus savant d'entre eux, et lui seul pouvait les tirer de la situation horrible où il les avait placés.

645 Un vieillard s'approcha de lui, porteur de propositions de paix. Il le pria de venir donner son avis ; mais Tamango, inflexible comme Coriolan[2], fut sourd à ses prières. La nuit, au milieu du désordre, il avait fait sa provision de biscuits et de chair salée. Il paraissait déterminé à vivre seul dans sa retraite.

650 L'eau-de-vie restait. Au moins elle fait oublier et la mer, et l'esclavage, et la mort prochaine. On dort, on rêve de l'Afrique, on voit des forêts de gommiers[3], des cases couvertes en paille, des baobabs dont l'ombre couvre tout un village. L'orgie de la veille recommença. De la sorte se passèrent plusieurs jours. 655 Crier, pleurer, s'arracher les cheveux, puis s'enivrer et dormir, telle était leur vie. Plusieurs moururent à force de boire ; quelques-uns se jetèrent à la mer, ou se poignardèrent.

Un matin, Tamango sortit de son fort et s'avança jusqu'auprès du tronçon du grand mât.

---

1. Prières ayant pour but de chasser les démons.
2. Général romain du ve siècle avant J.-C. Il est également le héros d'un drame de Shakespeare ; celui-ci en fait un personnage aveuglé par l'orgueil.
3. Arbres fournissant de la gomme.

BIEN LIRE

L. 646-649 : Pourquoi Tamango refuse-t-il de rejoindre ses compagnons ?

L. 650-653 : Qu'apporte l'utilisation du présent de l'indicatif ?

L. 658 : « Fort » ; ce nom commun est-il exagéré ici ?

660 « Esclaves, dit-il, l'Esprit m'est apparu en songe et m'a révélé les moyens de vous tirer d'ici pour vous ramener dans votre pays. Votre ingratitude mériterait que je vous abandonnasse ; mais j'ai pitié de ces femmes et de ces enfants qui crient. Je vous pardonne : écoutez-moi. »

665 Tous les Noirs baissèrent la tête avec respect et se serrèrent autour de lui.

« Les Blancs, poursuivit Tamango, connaissent seuls les paroles puissantes qui font remuer ces grandes maisons de bois ; mais nous pouvons diriger à notre gré[1] ces barques légères qui 670 ressemblent à celles de notre pays. »

Il montrait la chaloupe et les autres embarcations du brick.

« Remplissons-les de vivres, montons dedans, et ramons dans la direction du vent ; mon maître et le vôtre le fera souffler vers notre pays. »

675 On le crut. Jamais projet ne fut plus insensé. Ignorant l'usage de la boussole, et sous un ciel inconnu, il ne pouvait qu'errer à l'aventure. D'après ses idées, il s'imaginait qu'en ramant tout droit devant lui, il trouverait à la fin quelque terre habitée par les Noirs, car les Noirs possèdent la terre, et les 680 Blancs vivent sur leurs vaisseaux. C'est ce qu'il avait entendu dire à sa mère.

Tout fut bientôt prêt pour l'embarquement, mais la chaloupe avec un canot seulement se trouva en état de servir. C'était trop peu pour contenir environ quatre-vingts Nègres

---

1. Comme nous le souhaitons.

685 encore vivants. Il fallut abandonner tous les blessés et les
malades. La plupart demandèrent qu'on les tuât avant de se
séparer d'eux.

Les deux embarcations, mises à flot avec des peines infinies
et chargées outre mesure, quittèrent le vaisseau par une mer cla-
690 poteuse, qui menaçait à chaque instant de les engloutir. Le
canot s'éloigna le premier. Tamango avec Ayché avait pris place
dans la chaloupe qui, beaucoup plus lourde et plus chargée,
demeurait considérablement en arrière. On entendait encore
les cris plaintifs de quelques malheureux abandonnés à bord du
695 brick, quand une vague assez forte prit la chaloupe en travers et
l'emplit d'eau. En moins d'une minute, elle coula. Le canot vit
leur désastre, et ses rameurs doublèrent d'efforts de peur d'avoir
à recueillir quelques naufragés. Presque tous ceux qui mon-
taient la chaloupe furent noyés. Une douzaine seulement put
700 regagner le vaisseau. De ce nombre étaient Tamango et Ayché.
Quand le soleil se coucha, ils virent disparaître le canot derrière
l'horizon, mais ce qu'il devint, on l'ignore.

Pourquoi fatiguerais-je le lecteur par la description dégoû-
tante des tortures de la faim. Vingt personnes environ sur un
705 espace étroit, tantôt ballottées par une mer orageuse, tantôt

BIEN LIRE

L. 685 : « Fallut » ; que pensez-vous de l'emploi de ce verbe ? Quel
sens lui donnez-vous ici ?
L. 688-690 : Quels sont les différents termes ou expressions qui
insistent sur le danger qui les menace ?
L. 696-698 : Qu'y a-t-il de paradoxal dans ce passage ?
L. 701-702 : Pouvez-vous deviner ce qu'il est devenu ?

brûlées par un soleil ardent, se disputent tous les jours les faibles restes de leurs provisions. Chaque morceau de biscuit coûte un combat, et le faible meurt, non parce que le fort le tue, mais parce qu'il le laisse mourir. Au bout de quelques jours,
710 il ne resta plus de vivant à bord du brick *L'Espérance* que Tamango et Ayché.

. . . .

Une nuit, la mer était agitée, le vent soufflait avec violence, et l'obscurité était si grande, que de la poupe on ne pouvait voir
715 la proue du navire. Ayché était couchée sur un matelas dans la chambre du capitaine, et Tamango était assis à ses pieds. Tous les deux gardaient le silence depuis longtemps.

« Tamango, s'écria enfin Ayché, tout ce que tu souffres, tu le souffres à cause de moi...
720 – Je ne souffre pas », répondit-il brusquement.

Et il jeta sur le matelas, à côté de sa femme, la moitié d'un biscuit qui lui restait.

« Garde-le pour toi, dit-elle en repoussant doucement le biscuit ; je n'ai plus faim. D'ailleurs, pourquoi manger ? Mon
725 heure n'est-elle pas venue ? »

Tamango se leva sans répondre, monta en chancelant sur le tillac et s'assit au pied d'un mât rompu. La tête penchée sur sa

---

BIEN LIRE

L. 709-711 : En vous aidant de ce qui précède, pouvez-vous expliquer pourquoi ce sont les derniers survivants ?

L. 712 : Pourquoi cette rupture dans le texte ?

L. 723-725 : Comment qualifieriez-vous l'attitude d'Ayché ?

poitrine, il sifflait l'air de sa famille. Tout à coup un grand cri se fit entendre au-dessus du bruit du vent et de la mer ; une
730 lumière parut. Il entendit d'autres cris, et un gros vaisseau noir glissa rapidement auprès du sien ; si près, que les vergues passèrent au-dessus de sa tête. Il ne vit que deux figures éclairées par une lanterne suspendue à un mât. Ces gens poussèrent encore un cri, et aussitôt leur navire, emporté par le vent, disparut
735 dans l'obscurité. Sans doute les hommes de garde avaient aperçu le vaisseau naufragé ; mais le gros temps les empêchait de virer de bord. Un instant après, Tamango vit la flamme d'un canon et entendit le bruit de l'explosion ; puis il vit la flamme d'un autre canon, mais il n'entendit aucun bruit ; puis il ne vit
740 plus rien. Le lendemain, pas une voile ne paraissait à l'horizon. Tamango se recoucha sur son matelas et ferma les yeux. Sa femme Ayché était morte cette nuit-là.

. . . .
. . . .
745 Je ne sais combien de temps après, une frégate anglaise, la *Bellone*, aperçut un bâtiment démâté et en apparence abandonné de son équipage. Une chaloupe, l'ayant abordé, y trouva une Négresse morte et un Nègre si décharné et si maigre, qu'il ressemblait à une momie. Il était sans connaissance, mais avait

---

BIEN LIRE

L. 737-739 : Quel est le but de ce tir de canon ?
L. 741-742 : Pourquoi cette mort est-elle si vite évoquée ?

750 encore un souffle de vie. Le chirurgien s'en empara, lui donna des
soins, et quand la *Bellone* aborda à Kingston[1], Tamango était en
parfaite santé. On lui demanda son histoire. Il dit ce qu'il en
savait. Les planteurs de l'île voulaient qu'on le pendît comme un
Nègre rebelle ; mais le gouverneur, qui était un homme humain,
755 s'intéressa à lui, trouvant son cas justifiable, puisque, après tout,
il n'avait fait qu'user du droit légitime de défense et puis ceux
qu'il avait tués n'étaient que des Français. On le traita comme on
traite les Nègres pris à bord d'un vaisseau négrier que l'on
confisque. On lui donna la liberté, c'est-à-dire qu'on le fit tra-
760 vailler pour le gouvernement : mais il avait six sous par jour et la
nourriture. C'était un fort bel homme. Le colonel du 75e le vit et
le prit pour en faire un cymbalier[2] dans la musique de son régi-
ment. Il apprit un peu d'anglais ; mais il ne parlait guère. En
revanche, il buvait avec excès du rhum et du tafia[3]. – Il mourut
765 à l'hôpital d'une inflammation de poitrine.

1829.

---

1. Capitale de la
Jamaïque.
2. Joueur de cym-
bales.
3. Eau-de-vie tirée
de la canne à sucre.

BIEN LIRE

**L. 752-753 : Pourquoi cette nuance restrictive avec
le « en » ?**

**L. 757 : Que nous apprend l'usage de la négation
« n'étaient que » ?**

**L. 761-763 : Voyez-vous un lien de cause à
conséquence entre les deux phrases ?**

Après-texte

POUR COMPRENDRE

Lire

1 Les premières lignes d'un roman ou d'une nouvelle s'appellent l'**incipit**. Cette introduction permet au lecteur de découvrir le plus d'informations possible pour comprendre ce qui va suivre. Essayez de répondre aux questions suivantes : Qui est concerné ? Quand cela se passe-t-il ? Où ? De quoi est-il question ?

2 Quel portrait pouvez-vous faire du capitaine Ledoux ? Que pensez-vous de son nom ?

3 L'auteur fait à plusieurs reprises appel à l'ironie ; trouvez des exemples et expliquez ce que Mérimée veut faire comprendre au lecteur.

4 Le capitaine Ledoux est conscient des atrocités qu'il commet ; il connaît également la dure vie qui attend les esclaves. Relevez un passage du texte qui le prouve et commentez-le.

Écrire

5 En vous appuyant sur le deuxième paragraphe (l. 23 à 43), rédigez le discours que Ledoux aurait pu tenir à un armateur pour le convaincre de lui donner la direction d'un navire.

6 Mettez en valeur les arguments qu'utiliserait Ledoux pour expliquer à un de ses marins le choix du nom de son navire *L'Espérance*.

Chercher

7 Trouvez des synonymes de l'expression « trafiquants de bois d'ébène ».

8 Cherchez au C. D. I. quand a débuté et a cessé la traite des Noirs, quelles sont les causes de ce trafic.

À SAVOIR

L'IRONIE

L'ironie consiste à dire le contraire de ce qu'on veut faire entendre. L'interlocuteur doit alors deviner ce qui est sous-entendu. On attend de sa part une réaction. Ainsi lorsqu'on lit « et quel besoin ont-ils de se lever ? » (l. 40-41), on sait que l'auteur veut susciter notre colère. Il fait comprendre qu'il trouve lui-même cette remarque cruelle et veut nous faire partager son opinion. Il en est de même lorsque Mérimée reprend les propos de Ledoux et écrit « il faut avoir de l'humanité » (l. 51) alors que le comportement de son personnage est totalement inhumain. Cette technique a pour but de faire réagir le lecteur en provoquant sa révolte et en l'amenant à prendre ainsi position contre le capitaine.

Lire

1 Pourquoi l'auteur utilise-t-il parfois dans son texte le pronom personnel « je » ? Qu'apporte l'emploi de ce pronom et pourquoi toute l'histoire n'est-elle pas racontée à la 3ᵉ personne du singulier ?

2 Relevez les groupes nominaux qui qualifient Tamango dès la première apparition de son nom. Quelle impression nous laissent-ils ?

3 Montrez que l'auteur se moque un peu des « gens superstitieux » (l. 57).

4 Est-ce vraiment le narrateur qui parle dans les lignes 63 à 66 ? Expliquez ce passage et montrez l'ironie qui s'en dégage.

Écrire

5 Des inspecteurs font une visite à bord de *L'Espérance* avant son départ. Quel pourrait être le compte rendu qu'ils feraient à leurs supérieurs ?

6 Imaginez les arguments avancés par les courtiers pour inviter Ledoux à se rendre auprès de Tamango.

Chercher

7 Quel était le statut d'un esclave : Quels étaient ses droits et ses devoirs ? Quelle place avait-il dans la société ? Depuis quand le statut des esclaves existe-t-il ?

8 Quel rôle la ville de Nantes jouait-elle dans la traite des Noirs ?

LE NARRATEUR

Le **narrateur** raconte le récit et ne doit être confondu ni avec l'**auteur** qui est la personne réelle ayant écrit le livre, ni avec les **personnages** qui ont un rôle dans l'histoire racontée. Le narrateur peut se présenter sous trois formes différentes :

• Le texte est présenté par un « je » que le lecteur peut reconnaître. Ce pronom représente soit l'auteur (c'est le cas dans l'autobiographie), soit le narrateur, personnage de fiction. Dans ce dernier cas, celui qui écrit « je » n'existe pas même si tout le livre est écrit avec cette première personne : il s'agit d'un « je fictif ».

• Le texte est écrit à la 3ᵉ personne du singulier avec parfois la présence d'un narrateur qui dit « je ». C'est le cas ici : toute la nouvelle est écrite à la 3ᵉ personne mais on trouve aussi « je ne sais pourquoi » (l. 60), « je crois » (l. 71-72).

• Le texte est écrit dans sa totalité à la 3ᵉ personne du singulier par un narrateur totalement inconnu.

Lire

1 À quel endroit le narrateur intervient-il de nouveau ? Qu'apporte cette intervention ? Le prix décidé a-t-il une réelle importance ? Pourquoi ?

2 Montrez que le portrait fait de Tamango (l. 83-96) contient deux niveaux de lecture différents. En quoi ces deux portraits sont-ils opposés ?

3 Quel changement de temps pouvez-vous observer dans les lignes 114 à 125 ? Pourquoi y a-t-il un changement ? Qu'apporte-t-il au texte ?

4 Donnez la valeur du pronom « on » (l. 123) et dites ce qu'il remplace.

Écrire

5 Faites le portrait que tracerait Ledoux de Tamango pour rendre compte de son entrevue.

6 Écrivez un dialogue dans lequel vous ferez parler les deux héros en vous appuyant sur les lignes 134 à 141. L'opposition radicale des personnages devra être sensible dans le niveau de langue et le ton utilisés.

Chercher

7 Lorsqu'on relie sur une mappemonde Nantes, le Sénégal et la Martinique, le tracé forme un triangle. Renseignez-vous sur l'importance d'un point de vue historique de cette figure.

8 Tamango est bigame. Cherchez la définition de ce mot ainsi que les mots « polygame » et « polyandre » dans le dictionnaire. La polygamie est-elle autorisée par la loi française ?

À SAVOIR

LES VALEURS DU PRONOM « ON »

Le pronom indéfini « on » est très utilisé car il peut prendre des valeurs différentes. On lui en reconnaît, en règle générale, trois :

• La *valeur d'indéfini* : il représente quelqu'un, n'importe qui. Le plus souvent il remplace une personne inconnue.

• La *valeur élargie* : il représente tout le monde comme celui de la ligne 123 « on juge » ; il désigne toute personne qui pourrait se trouver dans cette situation.

• La *valeur de substitut* : il s'agit de personnes identifiables. C'est le cas des pronoms que l'on trouve de la ligne 105 à la ligne 113. Ils remplacent Tamango, Ledoux et parfois ceux qui les accompagnent.

POUR COMPRENDRE

Lire

1 Croyez-vous que Ledoux veuille vraiment interrompre le marché (l. 145-146) ? Pourquoi ?

2 Pourquoi l'eau-de-vie n'agit-elle pas de la même façon sur les deux hommes (l. 151-154) ?

3 Que pensez-vous de la valeur des différents objets troqués contre les esclaves ?

4 Un passage de ce texte est très ironique ; relevez-le et expliquez-le.

5 Quel lien logique peut-on établir entre les deux dernières phrases de la page 16 (l. 164-165) ?

6 Tamango préfère tuer les esclaves plutôt que de les libérer, pourquoi ?

7 Pourquoi Mérimée nous précise-t-il les liens familiaux des esclaves (l. 179-180) ? Que veut-il susciter chez le lecteur ?

8 Quelle est la raison qui pousse la femme à agir ? Trouvez-vous que cette raison soit noble (l. 187-190) ?

9 Montrez l'intelligence de l'interprète qui délivre les esclaves sans fâcher Tamango.

Écrire

10 Que va-t-il advenir des six esclaves libérés par l'interprète ? Écrivez en 20 lignes environ les aventures de l'un d'entre eux, en n'excluant pas le fait qu'il ne peut s'agir que d'une femme infirme ou d'un vieillard.

11 L'accord passé entre les deux hommes au sujet de cet échange est purement oral (l. 158-159). Rédigez le texte qui pourrait ratifier le même traité par écrit. Vous n'oublierez pas de tenir compte des deux parties contractantes et de leurs exigences.

12 Après cette première rencontre avec Tamango, pouvez-vous dire à quel genre de personnage nous sommes confrontés ? Comment le qualifieriez-vous ? Quelle fin imaginez-vous pour lui ?

Chercher

13 Qu'est-ce que la magie noire ? la magie blanche ? le vaudou ?

14 Recherchez le sujet de la pièce à laquelle a assisté Ledoux en vous aidant de son titre. Résumez rapidement l'épisode historique concerné.

15 Lors de trocs avec des peuples plus primitifs, les voyageurs européens utilisaient souvent de la « verroterie ». Cherchez l'origine de ce mot et ce qu'il désignait exactement.

POUR COMPRENDRE

À SAVOIR

LES FORMES DU DISCOURS

Il existe plusieurs procédés permettant de reproduire les paroles d'un personnage. Ces procédés ont des valeurs différentes et sont employés avec des intentions précises :

• Le *discours direct* reprend directement les propos d'une personne. Il rend le texte plus vivant mais il coupe la narration. C'est ce que l'on trouve dans le texte de la ligne 181 à la ligne 183. On assiste à un échange de paroles entre Tamango et Ledoux, et le lecteur, grâce à ce procédé, prend connaissance avec exactitude de ce qui a été dit. La ponctuation est particulière : après avoir mis un point (.) ou deux points (:), on va à la ligne, on ouvre les guillemets, on met un tiret pour indiquer la prise de parole des personnages et on ferme les guillemets lorsque le discours est terminé.

• Le *discours indirect* ne reprend pas les propos tenus dans leur intégralité. Grâce à un verbe indiquant la prise de parole (parler, dire, répondre...) et parfois grâce à une proposition subordonnée, on peut reprendre le sens des propos sans interrompre la narration : par exemples ligne 173 : « Tamango ne **demanda** plus qu'un verre d'eau-de-vie » et lignes 176-177 : « il **déclara qu**'il ne voulait plus se charger d'un seul Noir ». On trouve dans les deux cas un verbe, et dans le dernier exemple une proposition, précisant ce qui a été dit. Ce procédé peut être lourd lorsqu'il est utilisé trop souvent et lorsque les subordonnées sont trop nombreuses.

• Le *discours indirect libre* permet de reprendre les propos sans interrompre le récit et sans utiliser de verbes particuliers ou de propositions. Il garde la personne et le temps du style indirect mais sans en avoir les lourdeurs. On en trouve un exemple page 11, à partir de la ligne 51 : « mais il faut avoir de l'humanité [...] une traversée de six semaines et plus. » Ce sont les propos de Ledoux qui nous sont rapportés mais sans que les mots employés soient précisés. La narration n'est pas coupée et le texte garde une certaine fluidité.

• Le *discours narrativisé* s'intègre à la narration et suggère le contenu des paroles : l. 136-137 « il demandait une forte diminution », l. 144-145 « puis, murmurant quelques jurements affreux ».

POUR COMPRENDRE

Lire

1 Cherchez deux exemples de comparaison et un exemple d'hyperbole dans ce passage.

2 Montrez que l'attitude de Ledoux (l. 226-230) devrait être offensante pour Tamango.

3 Quels arguments Tamango utilise t-il pour convaincre le négrier de lui rendre Ayché ? Comment pourrait-on qualifier les moyens qu'il emploie ?

4 Quelle est la valeur du pronom personnel « on » (l. 267) ? Qui remplace-t-il ?

5 Peut-on deviner ce que sera l'avenir de Tamango ? Montrez que, malgré sa situation, il reste un « chef ».

6 Relevez les raisons qui poussent Ledoux à capturer Tamango (l. 241-250). Classez-les de la moins à la plus importante pour lui.

7 Montrez que cette capture a pu se faire grâce à la complicité de Ledoux et de son équipage. Qu'apprend-on ainsi sur les autres marins ?

Écrire

8 En quelques lignes, décrivez ce qui se passe dans l'esprit de Tamango quand il se rend compte que toute résistance est inutile. Insistez sur ses sentiments profonds et ses émotions.

9 Imaginez les « paroles de consolation » que l'interprète peut adresser à l'oreille de Tamango (l. 278-279).

10 Deux des esclaves noirs vendus par Tamango le voient arriver parmi eux et parlent de ce qui vient de se passer. Transcrivez les propos qu'ils échangent. Vous tiendrez compte du contexte, de leur situation et de leur état d'esprit.

11 Chaque capitaine de navire a l'obligation de tenir à jour un journal de bord et de raconter tout ce qui se passe pendant chaque voyage. Rédigez le rapport que fait le capitaine Ledoux de sa journée.

Chercher

12 « Bien donné ne se reprend plus » (l. 225) : qu'est-ce que cela signifie ? Trouvez d'autres formules ressemblantes et expliquez-en le sens.

13 La résistance de Tamango est « héroïque » (l. 259). Dites en quoi ce terme définit parfaitement son comportement. Dans quelle mesure peut-on dire que ce personnage est un « héros » ?

14 Cherchez la signification première de l'adjectif qualificatif « furieux » (l. 264). Quel est son sens aujourd'hui ? Quelle définition correspond le mieux au comportement de Tamango ? Justifiez votre réponse.

POUR COMPRENDRE

À SAVOIR

CERTAINES FIGURES DE STYLE

Les figures de style (ou de rhétorique) sont très nombreuses et enrichissent toujours le niveau de langue utilisé. Mérimée emploie très souvent dans sa nouvelle la *comparaison*. Cette figure consiste à rapprocher deux éléments différents et à les comparer. On dégage alors un **comparé** (c'est l'élément qui est comparé) et un **comparant** (c'est l'élément qui sert à comparer). Pour permettre ce rapprochement, on utilise un **outil comparatif** comme un verbe, un adverbe, une conjonction... On observe une comparaison p. 19, de la ligne 231 à la ligne 232. Le comparé est « des cris de douleur » et le comparant « ceux d'un malheureux qui subit... ». L'outil comparatif est « aussi ... que ».

On rapproche de la comparaison, une autre figure de style : la *métaphore*. Le procédé est proche, mais on ne trouve pas d'outil comparatif. Parfois même, le comparé disparaît et on le devine seulement. C'est le cas page 10, ligne 22 dans l'expression « bois d'ébène », on ne voit aucun outil de comparaison et on devine qu'il est question des Noirs (comparé).

La *métonymie* est également une figure très employée. Elle consiste dans le remplacement d'un mot par un autre mot qui lui est lié par un rapport logique. On peut ainsi désigner un objet par sa matière, un contenu par son contenant (ex. boire un verre). Dans le texte, « à la fin du panier » (l. 154) est une métonymie ; elle désigne en fait la totalité du contenu du panier, le contenant évoquant le contenu.

Enfin, une autre figure est fréquente et apparaît même dans le langage oral : l'*hyperbole*. On utilise alors volontairement une formulation exagérée pour faire comprendre l'intensité de ce que l'on ressent. Dans le texte, on trouve une hyperbole page 19, ligne 230 : « un torrent de larmes ». Cette figure de style, avec l'utilisation du substantif « torrent », permet d'insister sur l'immense chagrin de Tamango.

POUR COMPRENDRE

Lire

1 Les propos de Ledoux aux Noirs (l. 309-311) sont presque déplacés ; pourquoi ? Montrez que les termes utilisés ne correspondent pas à la situation.

2 Pourquoi la chose qui sort du bois ne s'approche-t-elle pas plus des femmes (l. 359-360) ?

3 Comment comprenez-vous l'adjectif qualificatif « simples » (l. 365) ?

4 Pourquoi l'interprète dit-il cela (l. 373-374) ? Pensez-vous comme lui que le Mama-Jumbo soit une bonne invention ?

5 Essayez de reconstituer ce qui s'est passé pendant la nuit (l. 391-396).

Écrire

6 Avec l'aide de votre professeur de dessin, dessinez le *story board* de ce passage de la nouvelle. Le *story board* correspond au scénario mais il n'est pas écrit, il ressemble à une bande dessinée et montre exacte-ment ce que voit la caméra. Vous devez choisir le nombre de plans que vous aurez et les angles de vue.

7 Par la suite, travaillez sur la bande sonore. Écrivez des dialogues et jouez-les afin de donner un caractère plus vivant à ce que vous avez dessiné. Demandez à votre professeur de musique si vous pouvez travailler sur une musique correspondant à l'atmosphère que vous voulez donner à votre film.

8 Si vous le pouvez, filmez ensuite ce que vous avez écrit ou bien prenez des photos des moments les plus importants. Vous devrez mettre en scène les prises de photographie au même titre que s'il s'agissait d'un film.

Chercher

9 Plusieurs réalisateurs ont tourné des films sur l'esclavage, même s'ils n'ont pas toujours parlé de la traite des Noirs elle-même. Cherchez deux titres de films évoquant ce sujet.

À SAVOIR

L'ADAPTATION CINÉMATOGRAPHIQUE

I. Le plan
Le plan au cinéma représente ce qui est filmé entre le moment où le réalisateur crie « moteur » et celui où il crie « coupez ». Ce plan ne prend de sens que dans un ensemble : par rapport au plan qui précède et à celui qui suit.

POUR COMPRENDRE

Les plans diffèrent selon le cadre choisi : souvent utilisé au début d'un film, le *plan général* montre une vue d'ensemble du lieu où se passe l'action. On n'aperçoit alors des personnages que de minuscules silhouettes. Le *plan d'ensemble* offre une vue très large, mais plus détaillée que celle d'un plan général. Le *plan de demi-ensemble* resserre sur les personnages qui prennent alors plus d'importance que le lieu dans lequel ils se trouvent. Le *plan moyen* cadre les personnages des pieds à la tête. C'est avec ce plan que le dialogue apparaît le plus souvent. Le *plan américain* cadre les sujets à partir des cuisses jusqu'à la tête, le *plan rapproché* offre le haut du buste et la tête ; enfin, le *gros plan* ne fait apparaître que le visage d'un personnage.

II. Les angles de prises de vues
Les angles correspondent à la position de la caméra au moment où l'on filme. L'angle le plus banal est celui qui propose une image à l'horizontal. Toutefois, trois autres positions sont possibles : l'*angle de vue oblique*, la *plongée* (la caméra est placée plus haut que le personnage et le fait sembler plus petit qu'il n'est) ou la *contre-plongée* (la caméra est placée plus bas que le visage du personnage et le fait ainsi sembler plus grand qu'il n'est réellement).

III. Les mouvements de caméra
La caméra peut être mobile au cours de la prise de vues : elle pivote sur son axe (on parle alors de *panoramique*), elle avance, recule... par rapport au sujet filmé (on parle alors de *travelling avant, arrière, latéral*).

IV. La bande sonore
Elle regroupe plusieurs éléments : la musique, les bruits accompagnant l'action et les dialogues. Ils sont plus ou moins forts selon l'impression que l'on veut donner. On peut parfois entendre le bruit de quelque chose qui n'est pas dans le champ de vision (par exemple le froufrou d'une robe) ; il s'agit alors de faire le lien avec ce qui va suivre (par exemple l'arrivée d'un personnage). Le réalisateur met l'accent sur un élément révélateur (par exemple le cœur qui bat, l'estomac qui gargouille...).

POUR COMPRENDRE

Lire

1 Pourquoi Tamango se sert-il de la menace du diable ? Relevez les autres références qui sont faites à cet « esprit ». Quelle en est l'importance pour les Noirs ?

2 Pourquoi Tamango ne tire-t-il pas profit de l'inattention du gardien (l. 432-437) ?

3 Montrez que les Noirs n'agissent pas au hasard (l. 460-472, l. 483-505) et citez les passages indiquant qu'ils jouent un rôle pour ne pas être soupçonnés.

4 Expliquez le passage du présent au passé simple de l'indicatif (l. 503-505).

Écrire

5 Rédigez une des « harangues » (l. 421) de Tamango à ses compagnons de voyage pour les convaincre d'agir.

6 Récrivez le paragraphe (l. 473-482) en utilisant le discours direct.

Chercher

7 Trouvez des exemples de sciences occultes (l. 418-419). En France, comment considère-t-on aujourd'hui ceux qui les pratiquent ? Est-ce que cela s'est toujours passé ainsi ? Comment les appelait-on il y a quelques siècles ?

8 Un esclave célèbre s'est révolté contre l'autorité de Rome. Qui est-il ? Présentez-le.

À SAVOIR

LA VALEUR DU PRÉSENT

Outre celles de passé proche ou de futur proche, le présent de l'indicatif a deux valeurs très utilisées en littérature :

• **le présent de narration** (ou présent historique) : on rapporte des faits qui appartiennent à un passé plus ou moins lointain, en voulant les rendre plus réels, plus vivants. Par exemple page 32 (l. 495-505), certains verbes sont au présent pour donner le sentiment que l'action se déroule sous les yeux du lecteur.

• **le présent de vérité générale** : on rapporte des faits qui semblent toujours vrais, quelle que soit l'époque à laquelle ils appartiennent. C'est ce que l'on trouve page 14 (l. 117-125). Les explications données par le narrateur sont toujours valables car des hommes ainsi attachés ne peuvent jamais songer à s'enfuir.

POUR COMPRENDRE

Lire

1 Montrez que les Noirs se sont acharnés sur les Blancs et justifiez votre réponse.

2 Pourquoi les révoltés pensent-ils que Tamango saura faire obéir le bateau (l. 552) ?

3 À quel point de vue correspondent les lignes 543-548 et les lignes 561-565 ? Justifiez votre réponse.

4 Relevez les différentes caractéristiques des Noirs (l. 574-576) ? Que vous apprennent-elles sur eux ?

5 Pourquoi l'ignorance peut-elle donner à la fois « confiance » et « crainte » (l. 576) ?

6 Que pensez-vous de cette position prise par Tamango (l. 597-599) ? Que révèle-t-elle ?

7 Comment expliquez-vous la joie du Noir (l. 625-627) d'avoir trouvé de l'alcool ?

8 Tamango est le seul à ne pas avoir bu pendant la nuit ; quelle est la phrase qui vous le prouve ? Comment expliquez-vous son attitude ?

9 Qu'apporte l'accumulation des verbes à l'infinitif (l. 655) ? Pourquoi sont-ils placés au début de la phrase ?

10 Expliquez l'utilisation du mot « esclaves » (l. 660) dans la bouche de Tamango.

Écrire

11 De la ligne 635 à la ligne 638 les phrases sont courtes et on ne trouve aucun mot de liaison. Récrivez ce passage en essayant de faire des phrases plus longues (mais en respectant le contenu du texte original) et en les reliant le plus souvent possible par des conjonctions de coordination ou de subordination.

12 Quel discours le vieillard tient-il à Tamango (l. 645-646) ? Écrivez-le en donnant des arguments qui pourraient convaincre Tamango de revenir sur sa décision.

13 Imaginez que Tamango soit en mesure de remplir le journal de bord de *L'Espérance* ; qu'écrirait-il pour raconter ce qui s'est passé pendant les quelques jours qui suivent la révolte ? Vous devrez tenir compte du niveau de langage du personnage.

14 Vous voulez transposer en film une partie de ce passage (l. 566-609), combien de plans différents pourriez-vous choisir ? Expliquez votre choix et montrez ce que vous mettrez en valeur dans chaque plan.

POUR COMPRENDRE

Chercher

15 Quel est le sens de l'expression « pressé par » (l. 562) ? Trouvez un équivalent et refaites la phrase en l'utilisant.

16 Tamango prend une « attitude pensive » (l. 573). Un sculpteur français a représenté un homme dans une telle position. Retrouvez le nom du sculpteur et celui de son œuvre.

17 Recherchez le sens du mot « se gorger de » (l. 630). Qu'apporte l'utilisation de ce verbe à la phrase ?

18 Quels sont le temps et le mode de « on les eût vus » (l. 630) ? Refaites la phrase en utilisant un autre temps.

À SAVOIR

LES DIFFÉRENTS POINTS DE VUE OU LA FOCALISATION

Dans un texte, le narrateur peut choisir d'évoquer les choses selon trois points de vue différents. Ces points de vue (ou focalisation) alternent en général dans un récit et l'on passe de l'un à l'autre selon ce que veut nous faire sentir l'écrivain.

• Lorsque le narrateur sait tout ce qui se passe et ce que pense tous les personnages, on parle de **point de vue omniscient** ou de **focalisation zéro**.

• Lorsque les événements, les lieux et les personnages sont vus entièrement de l'extérieur, on parle de **point de vue** ou **focalisation externe**. Page 35, dans le paragraphe allant de la ligne 554 à la ligne 560, on assiste à un de ces changements : « On le trouva dans la chambre de poupe [...] devant lui. » (l. 554-557) ; ici la focalisation est externe car on découvre la position de Tamango sans qu'aucun autre renseignement ne soit donné. C'est ce que tout le monde aurait pu voir en entrant dans la cabine. Mais la suite « La joie d'avoir vaincu [...] de sa position. » (l. 557-560) nous montre un point de vue omniscient car on pénètre alors dans les pensées du personnage, on découvre ce qu'il ressent et on nous renseigne sur sa personnalité.

• Il existe enfin le **point de vue** ou **focalisation interne**. Dans ce cas, nous découvrons les événements ou les personnes à travers les yeux d'un personnage ; on en trouve un exemple page 35, à partir de la ligne 570. Nous voyons Tamango tel que le voient les Noirs qui l'observent, mais nous savons également ce qu'il ressent.

UN PROJET INSENSÉ

POUR COMPRENDRE

Lire

1 Dégagez le champ lexical de la mort (l. 682-711). Qu'apporte-t-il ?

2 Quelle est la valeur de « on » (l. 702) ? Qui remplace-t-il ?

3 Que pensez-vous de la volonté de Mérimée (l. 703-704) de ne pas s'attarder sur les souffrances vécues par les personnages ? Qu'aurait apporté un récit plus détaillé ?

4 Quelle distinction peut-on faire entre ne pas *tuer quelqu'un* et *le laisser mourir* (l. 708-709) ? La différence compte-t-elle ici ?

5 Montrez que la méconnaissance de la mer et la naïveté des esclaves est la cause de la catastrophe.

Écrire

6 Imaginez dans un récit d'environ 25 lignes, les aventures que connaissent les naufragés du canot.

7 Vous voudriez peindre un tableau en vous appuyant sur un des paragraphes de ce passage. Lequel choisiriez-vous ? Indiquez ce que vous représenteriez en premier et en arrière plan.

Chercher

8 Un peintre français du XIXe siècle a peint un tableau représentant des naufragés. Trouvez le nom de l'artiste et le titre du tableau. Renseignez-vous ensuite sur le fait divers qui a inspiré le peintre. Faites un résumé rapide de ce qui s'est passé.

9 Jules Verne, romancier français du XIXe siècle, a également raconté l'histoire d'un naufrage dans un de ses romans. Découvrez-en le titre et prenez connaissance du contenu.

À SAVOIR

LE CHAMP LEXICAL

Lorsqu'un auteur veut insister sur une notion importante dans un passage, il peut utiliser plusieurs mots ou expressions relevant de la même idée. Le champ lexical est alors l'ensemble de ces mots qui reprennent un même thème. Ainsi Mérimée fait plusieurs fois référence aux dangers qui menacent les Noirs : « chargées outre mesure » (l. 689), « mer clapoteuse » (l. 689-690), « les engloutir » (l. 690), « demeurait [...] en arrière » (l. 693), « coula » (l. 696)... Tous ces termes font sentir aux lecteurs le péril qui les guette. Il faut toujours préciser la notion générale qui relie les différents éléments afin de définir le champ lexical ; ici, il s'agit du *danger*.

Lire

1 La position de Tamango (l. 716) est sans doute révélatrice de son état d'esprit, qu'en pensez-vous ?

2 Êtes-vous d'accord avec ce que dit Ayché à son époux (l. 718-719) ?

3 Lignes 729-732, à quoi pensez-vous en lisant ce passage ? Quelle impression suscite l'apparition de ce vaisseau ? De quel genre littéraire pouvez-vous le rapprocher ?

4 Ayché sent que sa mort est proche (l. 725) ; qu'est-ce qui vous prouve que Tamango le sent aussi ?

5 Qu'apportent les deux coupures marquées dans le récit (l. 743-744) ? Pourquoi sont-elles si rapprochées ? Elles n'ont pas toutes les deux la même valeur ; différenciez-les.

6 L'histoire n'est plus racontée selon le même point de vue à partir de la ligne 745. À travers les yeux de qui suit-on désormais l'histoire ? Est-ce ainsi jusqu'à la fin ?

7 Quel est l'intérêt du rapprochement fait entre le Noir et une momie (l. 748-749) ?

8 Que pensez-vous de la définition donnée de la liberté (l. 759-760) ?

9 Pourquoi Tamango n'est-il pas, selon vous, retourné dans son pays ?

10 La fin de la vie et la mort de Tamango sont évoquées très rapidement. Pourquoi Mérimée ne développe-t-il pas plus ces moments ?

Écrire

11 Imaginez qu'un des deux marins ayant assez bien aperçu le pont du navire abandonné en fasse la description. Donnez les détails matériels mais également l'atmosphère qui règne à bord.

12 Dans les lignes 735 à 740, Mérimée accumule les repères de temps. Relevez-les et récrivez sur ce modèle et avec d'autres repères les lignes 726 à 730 (« Tamango [...] parut »).

13 Le gouverneur trouve le cas de Tamango « justifiable » (l. 755). Rédigez le discours d'un avocat qui viendrait défendre l'esclave devant un juge ; utilisez des arguments convaincants et des exemples.

14 Imaginez une fin différente dans laquelle Tamango retournerait parmi les siens. Choisirait-il une nouvelle vie et pourquoi, ou au contraire, ferait-il tout son possible pour recommencer à vivre comme avant ?

POUR COMPRENDRE

Chercher

15 Donnez le nom de quelques héros qui ont réussi à atteindre une île après le naufrage de leur navire. Citez le titre du ou des romans dans lesquels on les trouve, ainsi que le nom des auteurs. Y a-t-il beaucoup de ces ouvrages qui soient contemporains ? Pouvez-vous en expliquer la raison ?

16 Un célèbre compositeur a écrit un opéra dont le titre pourrait correspondre aux lignes 728-740 ; trouvez son nom, sa nationalité et le siècle auquel il appartient, ainsi que le titre de son œuvre.

17 Depuis quand les hommes ont-ils tous les mêmes droits en France ?

Quel est le document qui le prouve ? Dans quelles circonstances a-t-il été écrit ?

18 Quel est l'événement important qui mit fin officiellement à l'esclavage aux États-Unis ? Pouvez-vous résumer rapidement cette période historique ? Donnez le nom du président qui était au pouvoir à ce moment-là et donnez sa position dans ce conflit. Qu'est-il advenu de ce président ?

19 Trouvez le titre d'un film racontant cette période de la vie des États-Unis. Donnez également le nom du metteur en scène et l'année de la sortie du film en salle.

À SAVOIR

L'ELLIPSE NARRATIVE

Un auteur ne peut pas raconter une histoire dans ses moindres détails : certains événements sont passés sous silence. Si certaines formules telles que « quelques jours plus tard », « deux ans après » évoquent le temps qui passe, il arrive parfois qu'aucune indication temporelle ne figure dans le récit. C'est le cas à la fin de la nouvelle : des moments plus ou moins longs se sont écoulés avant que ne soient retrouvés Tamango et le cadavre d'Ayché. L'ellipse est indiquée par des pointillés. Dans les derniers paragraphes du texte, les événements qui se succèdent – l'arrivée à Kingston, le jugement de Tamango, la décision de lui rendre sa liberté, son emploi de cymbalier et sa mort – sont évoqués très rapidement sans que l'on sache combien de temps s'écoule entre chaque épisode. Le lecteur est pourtant conscient que plusieurs semaines, voire plusieurs années, se sont passées. Il s'agit donc d'une ellipse narrative.

I) LA DÉNONCIATION DE L'ESCLAVAGE PAR LES ESPRITS DES LUMIÈRES

Les esclaves n'ont pas toujours eu la même place ni la même importance selon les périodes de l'histoire. Si, dans l'Antiquité, et surtout en Grèce, certains esclaves étaient cultivés et considérés avec autant d'égard que les hommes libres, ils avaient pourtant la même valeur que des bêtes de somme. Le statut d'esclave était héréditaire : né de parents esclaves, on était soi-même esclave, mais on pouvait racheter sa liberté, à une certaine période, si on en avait un jour les moyens.

L'esclavage trouvait surtout ses sources dans les guerres, les condamnations judiciaires et les hostilités religieuses. De plus, le besoin d'une main-d'œuvre à bon marché poussa l'esclavage à se développer. Dans l'Antiquité, le bras humain était la seule source d'énergie que l'on pouvait vraiment utiliser en plus de la force animale. C'est également cette raison qui a poussé le Sud des États-Unis à faire venir autant d'esclaves d'Afrique : il fallait des hommes pour travailler dans les champs de coton.

Les siècles passant, cette question est devenue de plus en plus brûlante. La Déclaration des Droits de l'Homme et du Citoyen dénonce l'ignominie de cette pratique et affirme l'égalité de tous, même si la question a mis longtemps à se régler (nous savons d'ailleurs qu'elle ne l'est pas encore complètement aujourd'hui). Pourtant certains hommes du XVIIIe siècle avaient déjà mis en avant ce problème dans leurs ouvrages et avaient montré leur volonté d'anéantir cette exploitation commerciale de l'homme ainsi que les actes horribles qui y étaient associés.

Voltaire (1694-1778)

Candide (1759), chapitre 19

Chassé du paradis terrestre après avoir embrassé Cunégonde, la fille du seigneur, Candide, jeune homme naïf, voyage sans cesse, toujours à la recherche de quelqu'un ou de quelque chose. Alors qu'il est en compagnie de Cacambo, son serviteur, et qu'il s'approche de la ville hollandaise de Surinam, il croise un Noir en très mauvaise posture.

En approchant de la ville, ils rencontrèrent un nègre étendu par terre, n'ayant plus que la moitié de son habit, c'est-à-dire d'un caleçon de toile bleue ; il manquait à ce pauvre homme la jambe gauche et la main droite. « Eh ! mon Dieu ! lui dit Candide en hollandais, que fais-tu là, mon ami, dans l'état horrible où je te vois ? – J'attends mon maître, M. Vanderdendur, le fameux négociant, répondit le nègre. – Est-ce M. Vanderdendur, dit Candide, qui t'a traité ainsi ? – Oui, monsieur, dit le nègre, c'est l'usage. On nous donne un caleçon de toile pour tout vêtement deux fois l'année. Quand nous travaillons aux sucreries, et que la meule nous attrape le doigt, on nous coupe la main ; quand nous voulons nous enfuir, on nous coupe la jambe : je me suis trouvé dans les deux cas. C'est à ce prix que vous mangez du sucre en Europe. Cependant, lorsque ma mère me vendit dix écus patagons sur la côte de Guinée, elle me disait : « Mon cher enfant, bénis nos fétiches, adore-les toujours, ils te feront vivre heureux, tu as l'honneur d'être esclave de nos seigneurs les blancs, et tu fais par là la fortune de ton père et de ta mère. » Hélas ! je ne sais pas si j'ai fait leur fortune, mais ils n'ont pas fait la mienne. Les chiens, les singes et les perroquets sont mille fois moins malheureux que nous ; les fétiches hollandais qui m'ont converti me disent tous les dimanches que nous sommes tous enfants d'Adam, blancs et noirs. Je ne suis pas généalogiste ; mais si ces prêcheurs disent vrai, nous sommes tous cousins issus de germains. Or vous m'avouerez qu'on ne peut pas en user avec ses parents d'une manière plus horrible.

– Ô Pangloss ! s'écria Candide, tu n'avais pas deviné cette abomination ; c'en est fait, il faudra qu'à la fin je renonce à ton optimisme.

– Qu'est-ce qu'optimisme ? disait Cacambo.

– Hélas ! dit Candide, c'est la rage de soutenir que tout est bien quand on est mal ». Et il versait des larmes en regardant son nègre, et en pleurant il entra dans Surinam.

Denis Diderot (1713-1784)

Supplément au voyage de Bougainville (1772)
En 1771 parut un ouvrage intitulé *Voyage autour du monde*, écrit par le navigateur Bougainville ; celui-ci y racontait son long périple sur les mers. Il avait ramené un Tahitien qu'il exhiba dans Paris pour la plus grande joie des Parisiens. Cet ouvrage fut l'occasion pour Diderot de s'interroger sur les mœurs, la politique et la soi-disant civilisation occidentale. Dans la deuxième partie du livre, Diderot met en scène un vieillard qui adresse un violent discours aux Européens lors de leur départ.

C'est un vieillard qui parle. Il était père d'une famille nombreuse. À l'arrivée des Européens, il laissa tomber des regards de dédain sur eux, sans marquer ni étonnement, ni frayeur, ni curiosité. Ils l'abordèrent ; il leur tourna le dos et se retira dans sa cabane. Son silence et son souci ne décelaient que trop sa pensée : il gémissait en lui-même sur les beaux jours de son pays éclipsés. Au départ de Bougainville, lorsque les habitants accouraient en foule sur le rivage, s'attachaient à ses vêtements, serraient ses camarades entre leurs bras, et pleuraient, ce vieillard s'avança d'un air sévère, et dit :

« Pleurez, malheureux Tahitiens ! pleurez ; mais que ce soit de l'arrivée, et non du départ de ces hommes ambitieux et méchants : un jour, vous les connaîtrez mieux. Un jour, ils reviendront, le morceau de bois que vous voyez attaché à la ceinture de celui-ci, dans une main, et le fer qui pend au côté de celui-là, dans l'autre, vous enchaîner, vous égorger, ou vous assujettir à leurs extravagances et à leurs vices ; un jour vous servirez sous eux, aussi corrompus, aussi vils, aussi malheureux qu'eux. Mais je me console ; je touche à la fin de ma carrière ; et la calamité que je vous annonce, je ne la verrai point. Ô Tahitiens ! ô mes amis ! vous auriez un moyen d'échapper à un funeste avenir ; mais j'aimerais mieux mourir que de vous en donner le conseil. Qu'ils s'éloignent, et qu'ils vivent. »

Puis s'adressant à Bougainville, il ajouta : « Et toi, chef des brigands qui t'obéissent, écarte promptement ton vaisseau de notre rive : nous sommes innocents, nous sommes heureux ; et tu ne peux que nuire à notre bonheur. Nous suivons le pur instinct de la nature : et tu as tenté d'effacer de nos âmes son caractère. Ici tout est à tous ; et tu nous as prêché je ne sais quelle distinction du *tien* et du *mien*. Nos filles et nos femmes nous sont communes ; tu as partagé ce privilège avec nous ; et tu es venu allumer en elles des fureurs inconnues. Elles sont devenues folles dans tes bras ; tu es devenu féroce entre les leurs. Elles ont commencé à se haïr ; vous vous êtes égorgés pour elles ; et elles nous sont revenues teintes de votre sang. Nous sommes libres ; et voilà que tu as enfoui dans notre terre le titre de notre futur esclavage. Tu n'es ni un dieu, ni un démon : qui es-tu donc, pour faire des esclaves ? »

Montesquieu (1689-1755)

De l'esprit des lois (1748), Livre XV, chapitre 5

Montesquieu a le courage de dénoncer la traite des Noirs alors que la ville où il habite, Bordeaux, est prospère en partie grâce à ce commerce. Remarquons néanmoins qu'il utilise, comme le fait Voltaire, l'ironie pour dire ce qu'il pense afin de se soustraire éventuellement aux reproches qui pourraient lui être faits.

Si j'avais à soutenir le droit que nous avons eu de rendre les nègres esclaves, voici ce que je dirais :

Les peuples d'Europe ayant exterminé ceux de l'Amérique, ils ont dû mettre en esclavage ceux de l'Afrique, pour s'en servir à défricher tant de terres.

Le sucre serait trop cher, si l'on ne faisait travailler la plante qui le produit par des esclaves.

Ceux dont il s'agit sont noirs depuis les pieds jusqu'à la tête ; et ils ont le nez si écrasé, qu'il est presque impossible de les plaindre.

On ne peut se mettre dans l'esprit que Dieu, qui est un être très sage, ait mis une âme, surtout une âme bonne, dans un corps tout noir.

Il est si naturel de penser que c'est la couleur qui constitue l'essence de l'humanité, que les peuples d'Asie qui font des eunuques, privent toujours les noirs du rapport qu'ils ont avec nous d'une façon plus marquée.

On peut juger de la couleur de la peau par celle des cheveux, qui, chez les Égyptiens, les meilleurs philosophes du monde, étaient d'une si grande conséquence, qu'ils faisaient mourir tous les hommes roux qui leur tombaient entre les mains.

Une preuve que les nègres n'ont pas le sens commun, c'est qu'ils font plus de cas d'un collier de verre que de l'or, qui, chez des nations policées, est d'une si grande conséquence.

La dénonciation de l'esclavage

Il est impossible que nous supposions que ces gens-là soient des hommes ; parce que, si nous les supposions des hommes, on commencerait à croire que nous ne sommes pas nous-mêmes chrétiens.

De petits esprits exagèrent trop l'injustice que l'on fait aux Africains. Car, si elle était telle qu'ils le disent, ne serait-il pas venu dans la tête des princes d'Europe, qui font entre eux tant de conventions inutiles, d'en faire une générale en faveur de la miséricorde et de la pitié ?

Montesquieu (1689-1755)

De l'esprit des lois (1748), Livre XV, chapitre 6
La question de l'esclavage a passionné Montesquieu ; il l'a dénoncé, comme nous le montre l'extrait donné précédemment, mais il a également essayé d'en comprendre le principe et surtout les origines, comme nous le prouve le texte qui suit.

Il est temps de chercher la vraie origine du droit de l'esclavage. Il doit être fondé sur la nature des choses : voyons s'il y a des cas où il en dérive.

Dans tout gouvernement despotique, on a une grande facilité à se vendre : l'esclavage politique y anéantit en quelque façon la liberté civile.

M. Perry dit que les Moscovites se vendent très aisément. J'en sais bien la raison : c'est que leur liberté ne vaut rien.

À Achim, tout le monde cherche à se vendre. Quelques-uns des principaux seigneurs n'ont pas moins de mille esclaves, qui sont des principaux marchands, qui ont aussi beaucoup d'esclaves sous eux, et ceux-ci beaucoup d'autres ; on en hérite et on les fait trafiquer. Dans ces États, les hommes libres, trop faibles contre le gouvernement, cherchent à devenir les esclaves de ceux qui tyrannisent le gouvernement.

C'est là l'origine juste et conforme à la raison de ce droit d'esclavage très doux que l'on trouve dans quelques pays ; et il doit être doux parce qu'il est fondé sur le choix libre qu'un homme, pour son utilité, se fait d'un maître ; ce qui forme une convention réciproque entre les deux parties.

II) LA DÉNONCIATION PAR LES ROMANCIERS

De nombreux auteurs se sont intéressés au problème de l'esclavage ; ce n'est pas seulement la traite elle-même qu'ils condamnent mais bien souvent la situation et les conditions de vie des esclaves qui représentent aussi pour eux une cible de choix. Les écrivains s'insurgent contre les horreurs de l'exploitation des hommes par d'autres hommes utilisant alors leur plume pour sensibiliser le public à cette ignominie.

Ainsi, la prise de position des romanciers, après celle des philosophes du XVIIIe siècle, a contribué à lutter contre l'esclavage en le condamnant.

Victor Hugo (1802-1885)

Bug-Jargal (1826), chapitre X

Le héros, le capitaine Léopold d'Auverney, est envoyé à Saint-Domingue chez un oncle dont il doit épouser la fille. Il y rencontre un esclave peu commun qui sauve, un soir, sa fiancée. Ce Noir, connu sous le nom de Pierrot, sauve également un de ses compagnons d'infortune de la colère de l'oncle, et le jeune capitaine assiste à la scène.

Jusqu'à ce jour, la disposition naturelle de mon esprit m'avait tenu éloigné des plantations où les noirs travaillaient. Il m'était trop pénible de voir souffrir des êtres que je ne pouvais soulager. Mais, dès le lendemain, mon oncle m'ayant proposé de l'accompagner dans sa ronde de surveillance, j'acceptai avec empressement, espérant rencontrer parmi les travailleurs le sauveur de ma bien-aimée Marie.

J'eus lieu de voir dans cette promenade combien le regard d'un maître est puissant sur des esclaves, mais en même temps combien cette puissance s'achète cher. Les nègres, tremblants en présence de mon oncle, redoublaient, sur son passage, d'efforts et d'activité ; mais qu'il y avait de haine dans cette terreur !

Irascible par habitude, mon oncle était prêt à se fâcher de n'en avoir pas sujet, quand son bouffon Habibrah, qui le suivait toujours, lui fit remarquer tout à coup un noir qui, accablé de lassitude, s'était endormi sous un bosquet de dattiers. Mon oncle court à ce malheureux, le réveille rudement, et lui ordonne de se remettre à l'ouvrage. Le nègre, effrayé, se lève, et découvre en se levant un jeune rosier du Bengale sur lequel il s'était couché par mégarde, et que mon oncle se plaisait à élever. L'arbuste était perdu. Le maître, déjà irrité de ce qu'il appelait la paresse de l'esclave, devient furieux à cette vue. Hors de lui, il détache de sa ceinture le fouet armé de lanières ferrées qu'il portait dans ses promenades, et lève le bras pour en frapper le nègre tombé à genoux. Le fouet ne retomba pas. Je n'oublierai jamais ce moment. Une main puissante arrêta subitement la main du colon. Un noir (c'était celui-là même que je cherchais !) lui cria en français :

– Punis-moi, car je viens de t'offenser ; mais ne fais rien à mon frère, qui n'a touché qu'à ton rosier !

Cette intervention inattendue de l'homme à qui je devais le salut de Marie, son geste, son regard, l'accent impérieux de sa voix, me frappèrent de stupeur. Mais sa généreuse imprudence, loin de faire rougir mon oncle, n'avait fait que redoubler la rage du maître et la détourner du patient à son défenseur. Mon oncle, exaspéré, se dégagea des bras du grand nègre, en l'accablant de menaces, et leva de nouveau son fouet pour l'en frapper à son tour. Cette fois le fouet lui fut arraché de la main. Le noir en brisa le manche garni de clous comme on brise une paille, et foula sous ses pieds ce honteux instrument de vengeance. J'étais immobile de surprise, mon oncle de fureur ; c'était une chose inouïe pour lui que de voir son autorité ainsi outragée.

Jules Verne (1828-1905)

Un capitaine de quinze ans (1878), partie I, chapitre XVIII

Le bateau sur lequel se trouvent Dick Sand, ses compagnons et des naufragés noirs qu'ils ont recueillis dont un sage nommé Tom, échoue sur un continent. Tous les rescapés sont persuadés d'être en Amérique du Sud, mais plusieurs de leurs découvertes leur font comprendre où ils se trouvent réellement.

Ce fut sous un large bouquet d'arbres que Dick Sand songea à tout disposer pour la couchée. Mais le vieux Tom, qui s'occupait avec lui de ces préparatifs, s'arrêta tout à coup, s'écriant :

« Monsieur Dick ! Voyez ! voyez !

– Qu'y a-t-il, mon vieux Tom ? demanda Dick Sand, du ton calme d'un homme qui s'attend à tout.

– Là... là... fit Tom... sur ces arbres... des taches de sang !... Et... à terre... des membres mutilés !... »

Dick Sand se précipita vers l'endroit que désignait le vieux Tom. Puis, revenant à lui :

« Tais-toi, Tom, tais-toi ! » dit-il.

En effet, il y avait là, sur le sol, des mains coupées, et, auprès de ces débris humains, quelques fourches brisées, une chaîne rompue !

Mrs Weldon, heureusement, n'avait rien vu de cet horrible spectacle. [...]

Cependant, le vieux Tom, à la vue de ces fourches, de cette chaîne brisée, était resté immobile, comme si ses pieds se fussent enracinés dans le sol. Les yeux démesurément ouverts, les mains crispées, il regardait, murmurant ces incohérentes paroles :

« J'ai vu... déjà vu... ces fourches...tout petit... j'ai vu !... »

Et, sans doute, les souvenirs de sa première enfance lui revenaient vaguement. Il cherchait à se rappeler !... Il allait parler !...

« Tais-toi, Tom ! répéta Dick Sand. Pour Mistress Weldon, pour nous tous, tais-toi ! »

Et le novice emmena le vieux Noir [...]

[*Mais le soir...*]

Tom, non pas assoupi, mais absorbé dans ses souvenirs, la tête courbée, demeurait immobile, comme s'il eût été frappé de quelque coup subit. [...]

Et ces mots terribles, devinés par Dick Sand, s'échappèrent enfin de ses lèvres :

« L'Afrique ! L'Afrique équatoriale ! L'Afrique des traitants et des esclaves ! »

Arthur Koestler (1905-1983)

Spartacus (1974), deuxième partie : La loi des détours, chapitre : L'assemblée

Avec *Spartacus*, Koestler s'attache non seulement à raconter un épisode de l'histoire de Rome, mais il nous présente également un portrait psychologique du célèbre révolté qui réussit à tenir en échec les armées romaines pendant près de deux ans avec l'aide de ses compagnons d'infortune.

Enfin, il y avait Spartacus.

Nombreux parmi les nouveaux venus étaient ceux qui se demandaient ce que cet homme avait de particulier ; c'était un des sujets qu'on abordait à la veillée, et les dieux savaient si l'on parlait beaucoup, car on avait le temps ! Les uns disaient que c'étaient ses yeux, les autres son intelligence, les femmes sa voix, ou encore ses taches de rousseur. Mais d'autres que Spartacus avaient les mêmes yeux, la même intelligence, une voix aussi agréable et des taches de rousseur... Les philosophes et les savants disaient : « Ce n'est pas un trait particulier c'est l'ensemble, ce que, précisément, on appelle la personnalité. »

[...]

Les frères Eunus de Bénévent, par exemple ? Tous trois avaient tué leur maître et incité leurs camarades à se faire brigands plutôt que de servir plus longtemps. Et qu'était-il arrivé ? les trois frères Eunus avaient été pendus et avec eux leur volonté, leur acte, leur personnalité ! Bref, en y réfléchissant bien, un homme était comme un autre homme, plus ou moins gros, plus ou moins intelligent, l'un parlait mieux, un autre avait le nez plus busqué, mais tout cela n'expliquait pas ce que Spartacus avait de particulier. Et après tout, rien peut-être... Et que s'étaient-ils donc tous figuré ? Spartacus était Spartacus, voilà tout. Il passait, grand, un peu voûté comme un bûcheron, couvert de sa peau de bête. Il regardait autour de lui avec ses yeux tranquilles ; il parlait peu et ce qu'il disait était exactement ce que chacun brûlait de dire ; et s'il disait le contraire, chacun pensait ensuite qu'il avait brûlé de dire exactement le contraire. Il souriait rarement, mais s'il souriait c'est qu'il avait un motif de sourire et cela vous réchauffait le cœur... Il était toujours pressé, et quand il venait s'asseoir au milieu d'un groupe, celui des valets de Fannius ou celui des bergers lucaniens, par exemple, personne n'en faisait un événement ; mais on manifestait sa joie et l'on semblait comprendre enfin pourquoi on cherchait à tuer le temps sur cette montagne en folie, au lieu de vivre chez soi, comme autrefois, selon le bon sens et le bon ordre.

Quand Castus commandait, on lui obéissait parce qu'on jugeait préférable de ne pas déplaire aux Hyènes. Quand c'était Crixus, on lui obéissait parce que l'homme lourd et morne intimidait. Mais quand Spartacus disait quelque chose, personne n'avait même l'idée de le contredire. Qu'aurait d'ailleurs signifié vouloir autre chose que Spartacus puisqu'il voulait la même chose que tout le monde ?

Harriet Beecher-Stowe (1811-1896)

La Case de l'oncle Tom (1852), chapitre I

Le personnage principal, M. Shelby, s'entretient avec Haley, un marchand auquel il est obligé de vendre son esclave favori Tom. Cependant, le marchand exige encore autre chose et il finit par jeter son dévolu sur le fils de l'esclave préférée de Mme Shelby.

« – Alors vous donnerez l'enfant, dit le marchand ; vous conviendrez, je pense, que je le mérite bien...

– Eh ! que pouvez-vous faire de l'enfant ? dit Shelby.

– Eh mais, j'ai un ami qui s'occupe de cette branche de commerce. Il a besoin de beaux enfants, qu'il achète pour les revendre. Ce sont des articles de fantaisie : les riches y mettent le prix. Dans les grandes maisons on veut un beau garçon pour ouvrir la porte, pour servir, pour attendre. Ils rapportent une bonne somme. Ce petit diable, musicien et comédien, fera tout à fait l'affaire.

– J'aimerais mieux ne pas le vendre, dit M. Shelby tout pensif. Le fait est, monsieur, que je suis un homme humain : je n'aime pas à séparer un enfant de sa mère, monsieur.

– En vérité ! Oui,... le cri de la nature,... je vous comprends : il y a des moments où les femmes sont très fâcheuses,... j'ai toujours détesté leurs cris, leurs lamentations,... c'est tout à fait déplaisant,... mais je m'y prends généralement de manière à les éviter, monsieur : faites disparaître la fille un jour... ou une semaine, et l'affaire se fera tranquillement. Ce sera fini avant qu'elle revienne... Votre femme peut lui donner des boucles d'oreilles, une robe neuve ou quelque autre bagatelle pour en avoir raison. Ces créatures ne sont pas comme la chair blanche, vous savez bien : on leur remonte le moral en les dirigeant bien. On dit maintenant, continua Haley en prenant un air candide et un ton confidentiel, que ce genre de commerce endurcit le cœur ; mais je n'ai jamais trouvé cela. Le fait est que je ne voudrais pas faire ce que font certaines gens. J'en ai vu qui arrachaient violemment un enfant des bras de sa mère pour le vendre,... elle cependant, la pauvre femme, criait comme une folle... C'est là un bien mauvais système,...il détériore la marchandise, et parfois la rend complètement impropre à son usage... J'ai connu jadis, à La Nouvelle-Orléans, une fille véritablement belle, qui fut complètement perdue par suite de tels traitements... L'individu qui l'achetait n'avait que faire de son enfant... Quand son sang était un peu excité, c'était une vraie femme de race : elle tenait son enfant dans ses bras,... elle marchait,... elle parlait,... c'était terrible à voir ! Rien que d'y penser, cela me fait courir le sang tout froid dans les veines. Ils lui arrachèrent donc son enfant et la garrottèrent... Elle devint folle furieuse et mourut dans la semaine... Perte nette de mille dollars, et cela par manque de prudence,... et voilà ! Il vaut toujours mieux être humain, monsieur ; c'est ce que m'apprend mon expérience. »

Margaret Mitchell (1900-1949)

Autant en emporte le vent (1936), première partie, chapitre III
Ce long roman raconte les aventures de Scarlett O'Hara et de sa famille pendant et après la guerre de Sécession. Dans l'extrait qui suit, nous découvrons quelques caractéristiques de la vie des Noirs à Tara, alors que le domaine est encore sous la domination des parents de Scarlett, Gérald et Ellen.

Avec leur infaillible instinct d'Africains, les nègres s'étaient tous aperçus que, si Gérald aboyait fort, il ne mordait pas, et ils profitaient sans vergogne de leur découverte. L'air était toujours saturé de menaces. On parlait constamment de vendre des esclaves à des marchands du Sud ou de châtiments épouvantables, mais, à Tara, on n'avait jamais vendu un esclave et on n'avait administré le fouet qu'une seule fois à un noir qui n'avait pas pansé le cheval favori de Gérald après une longue journée de chasse à courre.

[...]

Au printemps et en été, le chiendent et le trèfle des pelouses prenaient une teinte émeraude d'un si bel effet que les troupeaux d'oies et de dindons cantonnés en principe derrière la maison ne pouvaient résister à la tentation. Continuellement les plus entreprenants du troupeau se risquaient furtivement jusqu'aux abords de la pelouse, attirés par l'herbe verte et la promesse friande des parterres de jasmin et des massifs de zinnias. Pour lutter contre leurs dégâts, une petite sentinelle noire restait en faction auprès de la véranda. Armé d'un torchon en loques, le négrillon, assis sur les marches, faisait partie intégrante du tableau offert par Tara et son rôle était bien triste car il lui était interdit de frapper les volailles ; il ne pouvait qu'agiter son torchon et pousser des cris pour les effrayer.

Ellen confia à des douzaines de petits gamins noirs ce poste, le premier qui, à Tara, comportât une certaine responsabilité pour un esclave mâle. Lorsque les négrillons avaient dépassé leur dixième année, on les mettait en apprentissage auprès du vieux Pépé, le savetier de la plantation, ou de Philipo, le vacher, ou de Cuffee, le muletier. S'ils ne montraient aucune aptitude pour l'un ou l'autre de ces métiers, on les employait aux travaux des champs et, de l'avis des nègres, ils perdaient du même coup toute prétention à occuper un rang social.

BIBLIOGRAPHIE

Ouvrages de Mérimée :
La plupart des nouvelles de Mérimée sont regroupées dans deux recueils :
– *Colomba*, Livre de Poche, n° 1217, 1993.
– *Carmen*, Livre de Poche, n° 1480, 1993.

Ouvrages dans lesquels l'esclavage est évoqué :
Arthur Koestler : *Spartacus*, J'ai lu, n° 1744, 1974.
Victor Hugo : *Bug-Jargal*, Folio, n° 919, 1970.
Harriet Beecher-Stowe : *La Case de l'oncle Tom*, Folio junior, édition spéciale, 1992.
William Styron : *Les Confessions de Nat Turner*, Gallimard, 1969.
Margaret Mitchell : *Autant en emporte le vent*, Gallimard, 1938.
Daniel Vaxelaire : *En haut, la liberté*, Castor Poche, 1999.

FILMOGRAPHIE

Amistad, film de Steven Spielberg (1998), avec Matthew Mc Conaughey ; ce film raconte le procès d'un capitaine de navire condamné pour esclavagisme.
Cobra Verde, film de Werner Herzog (1987), avec Klaus Kinski ; le héros de ce film est un homme qui se lance dans la traite des Noirs.
La Couleur pourpre, film de Steven Spielberg (1985), avec Danny Glover et Whoopie Goldberg ; ce film, adapté du roman d'Alice Walker, traite de la condition des Noirs au début du siècle.
Autant en emporte le vent, film de Victor Fleming, George Cukor et Sam Wood (1939), avec Clark Gable et Vivien Leigh ; l'héroïne du film, la célèbre Scarlett O'Hara, subit la guerre de Sécession et ses conséquences.
Spartacus, de Stanley Kubrick (1960), avec Kirk Douglas et Laurence Olivier ; ce film évoque la révolte et la vie du célèbre esclave jusqu'à sa mort.

CHERCHER SUR INTERNET

Sites sur Mérimée :
http ://www.ac-orleans-tours.fr/lettres/merimee/accueil.html ; site proposant le travail d'élèves de classe de seconde sur *La Vénus d'Ille*.
http ://www2.ac-lille.fr/weblettres/productions/tamango.htm ; site établi par un professeur qui propose une étude de *Tamango*.

Sites sur la traite des Noirs :
http ://www.droitshumains.org/esclav/30quest/ ; site proposant une vision très large et très claire de ce sujet. Il répond en 30 points différents à toutes les questions que peuvent se poser des collégiens et des lycéens.

Sites sur l'esclavage :
http ://www. 20desamb.com/indexe.html ; site offrant des travaux faits par des élèves de différents niveaux à l'occasion du 150e anniversaire de l'abolition de l'esclavage.

Classiques & Contemporains

Recueils et anonymes

90 poèmes classiques et contemporains
Ceci n'est pas un conte et autres contes excentriques du xviiie siècle
Ces objets qui nous envahissent : objets cultes, culte des objets (anthologie BTS)
Cette part de rêve que chacun porte en soi (anthologie BTS)
Contes populaires de Palestine
Histoires vraies – Le Fait divers dans la presse du xvie au xxie siècle
Initiation à la poésie du Moyen Âge à nos jours
Je me souviens (anthologie BTS)
La Dernière Lettre – Paroles de Résistants fusillés en France (1941–1944)
La Farce de Maître Pierre Pathelin
Poèmes engagés
La Presse dans tous ses états – Lire les journaux du xviie au xxie siècle
La Résistance en poésie – Des poèmes pour résister
La Résistance en prose – Des mots pour résister
Les Aventures extraordinaires d'Adèle Blanc-Sec
Les Grands Textes du Moyen Âge et du xvie siècle
Les Grands Textes fondateurs
Nouvelles francophones
Pourquoi aller vers l'inconnu ? – 16 récits d'aventures
Sorcières, génies et autres monstres – 8 contes merveilleux

SÉRIE BANDE DESSINÉE (en coédition avec Casterman)

Beuriot et Richelle, *Amours fragiles – Le Dernier Printemps*
Bilal et Christin, *Les Phalanges de l'Ordre noir*
Comès, *Silence*
Ferrandez et Benacquista, *L'Outremangeur*
Franquin, *Idées noires*
Manchette et Tardi, *Griffu*
Martin, *Alix – L'Enfant grec*
Pagnol et Ferrandez, *L'Eau des collines – Jean de Florette*
Pratt, *Corto Maltese – La Jeunesse de Corto*
Pratt, *Saint-Exupéry – Le Dernier Vol*
Stevenson, Pratt et Milani, *L'Île au trésor*
Tardi et Daeninckx, *Le Der des ders*
Tardi, *Adèle Blanc-sec – Adèle et la Bête*
Tardi, *Adèle Blanc-sec – Le Démon de la Tour Eiffel*
Tardi, *Adieu Brindavoine* suivi de *La Fleur au fusil*
Tito, *Soledad – La Mémoire blessée*
Tito, *Tendre banlieue – Appel au calme*
Utsumi et Taniguchi, *L'Orme du Caucase*
Wagner et Seiter, *Mysteries – Seule contre la loi*

SÉRIE ANGLAIS

Ahlberg, *My Brother's Ghost*
Asimov, *Science Fiction Stories*
Capote, *American Short Stories*
Conan Doyle, *The Speckled Band*
Poe, *The Black Cat,* suivie de *The Oblong Box*
Saki, *Selected Short Stories*

Couverture
Conception graphique : Marie-Astrid Bailly-Maître
Illustration : Isabelle Lutter
Intérieur
Conception graphique : Marie-Astrid Bailly-Maître
Réalisation : Nord Compo, Villeneuve d'Ascq

© **Éditions Magnard, 2001 – Paris**
5, allée de la 2e D. B. – 75015 Paris
www.magnard.fr

Achevé d'imprimer en Octobre 2017
par «La Tipografica Varese Srl» Varese - Italie
N° éditeur : 2017-1734
Dépôt légal : Mai 2001

Certifié PEFC
Ce produit est issu de forêts gérées durablement et de sources contrôlées
PEFC/18-31-264   www.pefc-france.org